Panorama du theatre nouveau

VOLUME 1
le théâtre des enfers

Comedie — Samuel Beckett
L'hypothese — Robert Pinget
Fastes d'enfer — Michel de Ghelderode

VOLUME 2
le théâtre de la cruauté

Le balcon — Jean Genet

VOLUME 3
le théâtre de la dérision

Pique-nique en campagne — Fernando Arrabal
Les batisseurs d'empire — Boris Vian

VOLUME 4
le théâtre de poésie

Le mal court — Jacques Audiberti
Le voyage — Georges Schehadé

edited by

JACQUES G. BENAY
State University of
New York at Buffalo

REINHARD KUHN
Brown University

PANORAMA DU

APPLETON-CENTURY-CROFTS / New York
Division of Meredith Corporation

THEATRE NOUVEAU

VOLUME 2

le théâtre de la cruauté

LE BALCON Jean Genet

658-2

Library of Congress Card Number: 67-12385

PRINTED IN THE UNITED STATES OF AMERICA

E 08011

acknowledgments for play

p. 13 Editions L'Arbalète, Décines, Isère, France, for Jean Genet's LE BALCON, 1961. Copyright l'Arbalète—Marc Barbezat, Décines (Isère). Tous droits de traduction, réproduction et d'adaptation réservés.

acknowledgments for pictures

p. 14 Agence de Presse Bernand, 106, rue de Richelieu, Paris 2e.

p. 112 Photo Pic, 21, avenue du Maine, Paris 15e.

preface

Of the many dramatic theories formulated in the 20th century it is, without a doubt, the revolutionary concept of the theatre of cruelty which has had the greatest impact on the philosophy and techniques of modern stagecraft. The aesthetics elaborated by Antonin Artaud in his *Le Théâtre et son double* has inspired Jean-Louis Barrault to create a new type of spectacle and thus to transform the Théâtre de France. This same volume of essays has left an equally profound mark on the productions of the Royal Shakespeare Company under the direction of Peter Brook. Even more recently, the latter's example and the teachings of Artaud were decisive factors in the establishment of the Open Theatre in New York. Whereas the exitless infernos depicted by Beckett, Pinget, and Ghelderode seem to be the products of a predominantly nihilistic vision, the advocates of the theatre of cruelty have conceived a new and positive mystique of the stage. By their affirmation of the primacy of ritual and imagination over everything else they have sought to uncover the very essence of drama. This attempt leads to a transcendence of that hell which their personages inhabit. The works of Jean Genet embody this new vision and the new style which it has engendered. Because the somber poetry of *Le Balcon* is the very incarnation of the ideals and dreams of Artaud and his disciples, the editors have chosen it to constitute this second volume of the *Panorama du théâtre nouveau.*

J. G. B.
R. K.

contents

preface v

introduction 1

Le balcon Jean Genet 13

vocabulaire 138

introduction

Le premier canon du théâtre nouveau contemporain maintient que l'art n'étant ni un simple organe d'enregistrement ni un calque de la réalité, sa fonction essentielle consiste non pas à restituer mais à recréer celle-ci au-delà du mot, de la psychologie et du physique. En même temps ce théâtre se propose de faire éclater le mensonge d'une culture qui, au lieu d'intégrer l'homme à la vie pour qu'il y puise sa nourriture spirituelle, le détruit en faisant de sa personne une espèce d'automate ou de fantoche ridicule égaré sur une planète sans repère. A la limite, ce théâtre d'avant-garde, tout en recréant le double douloureux de cet aliéné, s'efforce de secouer l'inertie de la chair et de l'esprit dans le dessein de redonner aux hommes une idée de leurs possibilités.

Compte tenu de leur optique intime les dramaturges du théâtre nouveau s'entendent pour décrier toutes les formes d'asservissement imposées aux hommes par un monde miné par la dictature de l'argent, du faux confort matériel, et des idéologies quelle que soit leur appartenance politique. Il maintiennent que ce monde, néanmoins nous asservisse dans la mesure où nous voulons bien consentir à nous laisser guider, d'un côté, par les propagandes et les modes du jour, de l'autre, par notre attachement à des traditions et des humanismes déshumanisés. Conscients de la cruauté, de l'hypocrisie, et des conduites aberrantes des responsables de cette dégradation des individus, ces dramaturges discréditent tous les conformismes. Ainsi est-il permis de dire avec Roland Barthes que l'auteur d'avant-garde tient un peu du sorcier des sociétés primitives dont la fonction consistait à fixer «l'irrégularité pour mieux en purifier la masse sociale».[1] Mais avec cette différence que l'avant-gardiste, qui se rit volontiers des humanistes de bibliothèque, se refuse à faire de son art magique une panacée. Le décervelage de ses semblables, institué sous le prétexte ignominieux d'assurer leur bien-être et celui de la société, n'est pas son fait ni non plus celui d'élaborer des catéchismes édifiants. La fonction de l'artiste ou du poète, nous dit Genet, ne consiste pas à «trouver la solution pratique des problèmes du mal... Si dans l'œuvre d'art le «bien» doit apparaître, c'est par la grâce des pouvoirs du chant, dont la vigueur, à elle seule, saura magnifier le mal exposé».[2]

Montreur d'enfers plutôt que défenseur de thèses, Genet choisit pour *Le Balcon* l'un des lieux les plus sordides, les moins conformes aux traditions scéniques, et pourtant l'un des plus magiques qui soient: un bordel, lieu idéal par sa théâtralité même et la violence qu'il suggère sous la forme d'images atterrantes et de cris stridents d'un caractère quasi bestial. Ce choix, qui, par sa nature insolite et subversive, expose l'auteur aux invectives cruelles des censeurs officiels, n'est pourtant pas la manifestation lubrique d'une âme dépravée. Bien au contraire, il relève de hautes préoccupations esthétiques.

Loin donc d'être purement et simplement pornographique «la maison de passe» fait fonction d'un creuset où se rencontrent et la mort. Là, pareil à un alchimiste, le dramaturge opère la fusion magique du rêve et de la réalité, de l'impuissance et de la puissance, du vrai et du faux, de la prose la plus grossière et de la poésie la plus délicate. La solennité de cette alchimie, sa thérapeutique, la splendeur de son langage confèrent au théâtre de Genet un caractère transcendantal, incantatoire, et primitif qui dépasse les bornes de la logique et de l'intelligence. «C'est même d'autre chose encore que d'intelligence, nous prévient dès le lever du rideau l'Evêque du *Balcon*. Ce serait de cruauté. Et par delà cette cruauté—et par elle—une démarche habile, vigoureuse, vers l'Absence. Vers la Mort.»

Cette cruauté à laquelle Genet fait allusion, il ne faut pas l'entendre uniquement dans le sens habituel de violence physique, de sang, ou de sadisme. Tel qu'il est employé dans son théâtre et ses romans ce terme acquiert une dimension mythique. Loin donc

[1] Roland Barthes, *Théâtre Populaire,* No. 18 (mai 1956), p. 1.
[2] Jean Genet, *Le Balcon* (Décines, Isère, L'Arbalète, 1960), p. 8.

de le prendre à la lettre il doit être d'abord envisagé en tant que ressort dramatique, ensuite, en tant qu'expression d'une mystique comparable à la ferveur religieuse des fidèles célébrant le mystère de la messe devant un autel. Ainsi transposée du temple au bordel, cette cruauté, introduite au sein de cérémonies savamment ordonnées, s'apparente, par analogie, à une liturgie à la fois sacrée et sanguinaire, et dont la puissance allégorique n'a d'égale que celle d'un crime. Quand Genet parle d'un théâtre allusif et de communion, c'est au geste sacrificatoire accompli par le prêtre en face de son tabernacle qu'il songe d'abord. «Sous les apparences les plus familières–une croûte de pain–on y dévore un dieu. Théâtralement, je ne sais rien de plus efficace que l'élévation.»[3]

Ce cannibalisme symbolique, que l'on retrouve dans ses romans et dans *Les Nègres*, éveille de leur torpeur nos sens, terrorise nos esprits, fait du théâtre une représentation concrète du visible et de l'invisible, du conscient et de l'inconscient. Comme conséquence il confère à l'expérience théâtrale un caractère onirique, obsessionnel, sensoriel, et pictural qui a pour effet de «substituer à la foi religieuse l'efficace de la beauté.»[4] Enfin, cette idée d'un théâtre de communion qui par la cruauté, entendue dans le sens d'exorcisme magique, agirait sur les âmes des acteurs et des spectateurs-acteurs mêlés à la force de l'action d'un drame situé hors du temps, et dont la portée serait universelle, Genet et la majeure partie des avant-gardistes d'aujourd'hui la doivent à Alfred Jarry et à Antonin Artaud.

A Jarry d'abord par son *Ubu roi*; à Artaud ensuite grâce à son œuvre capitale, *Le Théâtre et son double*. Le premier fait œuvre de destructeur, le deuxième de critique et de théoricien d'un art difficile, entièrement rénové au niveau de la forme et de l'esprit. Entre les deux il convient de situer Ghelderode dont *L'Ecole des bouffons*, conçue dès 1925, préfigure les dissonances cruelles recherchées par Artaud. Tous les trois s'apparentent par l'étrange malédiction qui semble s'être emparé de leur vie, du jour où ils firent de leur art à la fois une passion véhémente et un témoin impitoyable et insupportable d'une humanité sans âme, engluée dans son égoïsme, sottement fière de son optimisme béat, et néanmoins tristement tragique dans son inconscience.

A l'origine d'*Ubu roi* il faut voir un mouvement de révolte

[3] Jean Genet, *Les Bonnes* (Décines, Isère, L'Arbalète, 1958), p. 146.
[4] *Ibid.*

contre la soi-disant bonne conscience du petit-monde bourgeois, sa suffisance aussi. Toutefois ce n'est pas seulement l'anarchisme de Jarry qui fait de celui-ci le précurseur d'Artaud et des avant-gardistes contemporains. S'il en avait été ainsi son action protestataire n'aurait fait de lui qu'un disciple attardé des romantiques. Or ce qui distingue Jarry de ces derniers c'est le paroxysme et l'esprit de vengeance avec lesquels il fait le procès d'Ubu, reflet odieux du bourgeois de la Belle Epoque et de tous les temps. De surcroît la forme de cette pièce n'avait ni commencement ni milieu ni fin. Son langage abusif n'avait rien de l'élégance de celui des maîtres de la rhétorique. D'intrigue il n'en était point question ni non plus de psychologie. En plus de ses innovations surprenantes, l'auteur se permettait de mettre en scène des personnages, invraisemblables sous leurs masques et leurs costumes grotesques, se jouant, par ailleurs, de mauvais tours dans la pire tradition du guignol. Enfin l'humour noir et corrosif de la pièce déplut tant il parut incompréhensible, absurde, et exaspérant. Au lieu de distraire et d'émoustiller il exacerbait les sensibilités, il équarrissait les amours-propres déjà scarifiés par l'affaire Dreyfus.

Si des méthodes aussi peu orthodoxes, doublées d'intentions terrorisantes, réussirent à provoquer les effets désirés au sein du parterre, toutefois, rares furent les spectateurs qui voulurent bien se soumettre à l'expérience douloureuse que leur auteur leur infligeait, encore moins admettre l'originalité et le caractère prophétique de l'œuvre. *Ubu roi,* miroir fidèle de la dictature sociale, exprimait une vérité trop cruelle, trop âpre, pour être acceptée d'emblée. Il préfigurait les dictateurs de Charlie Chaplin, de Ionesco, et de Boris Vian. Il avait le tort de faire son entrée sur la scène du monde à un moment de l'histoire où ses contemporains, heureusement pour eux, n'avaient pas encore eu le triste privilège de connaître l'enfer de Verdun et ses lendemains kafkaesques. L'indifférence, le mépris supérieur du public, les méfaits de la critique traditionnelle, puis, les effets du temps et de la guerre de 1914-1918 se chargèrent de venir à bout du personnage. L'éternel bourgeois eut tôt fait d'enterrer ce témoin gênant et de reprendre ses bonnes habitudes en retournant voir les spectacles réconfortants du boulevard.

Connu seulement de quelques rares initiés parmi lesquels Stéphane Mallarmé et Guillaume Apollinaire, *Ubu roi* n'aurait certainement pas exercé sur les dramaturges du théâtre nouveau d'aujourd'hui l'influence qu'on lui connaît sans l'avènement du surréalisme dans les années qui suivirent le premier conflit mondial. A cette époque-là, Antonin Artaud qui compte parmi les premiers surréalistes français avec André Breton, Louis Aragon, et Philippe Soupault, tire d'un oubli quasi total le nom de Jarry. Grâce au concours du docteur Allendy et de sa femme Yvonne, il fonde en 1926 le Théâtre Alfred Jarry en collaboration avec Roger Vitrac et Robert Aron. Les manifestes qui accompagnent cette entreprise constituent une insurrection irréversible contre les styles théâtraux conventionnels. D'une façon systématique, dans un langage abrupt, ils fustigent la conception psychologique et classique du théâtre de mœurs et de caractères, de même que sa technique photographique qui tout au plus ne nous dépeint qu'un pan de la réalité, nous invitant par conséquent à ne nous associer qu'à une expérience psychologique fragmentaire de l'homme enfermé dans le cadre étroit du quotidien et du banal. Tel un jeu de construction, ce théâtre, en trichant avec la vie, s'avère donc incapable de résoudre le problème de la connaissance.

Ayant ainsi fait le procès d'un art engoncé dans des formes élaborées à partir de fausses données, Artaud se propose d'entreprendre une refonte intégrale des techniques théâtrales en fonction d'une philosophie nouvelle de l'homme et du cosmos. Cette prise de position aura pour conséquence l'exclusion d'Artaud et de ses amis Soupault et Vitrac du mouvement surréaliste. Ce divorce qui roule autour du mot «révolution» éclaire une pensée tout entière possédée par une passion: le théâtre envisagé non plus comme un but, mais comme *un moyen*, lui-même interprété comme un signe de la réalité au service d'une conscience. Et non d'une idéologie sectaire. Il s'ensuit que la seule démarche valable offerte à l'artiste est celle qui vise à la sauvegarde de *l'esprit* menacé de mort par notre société industrielle. Par «sauvegarde» Artaud entend possession totale de nos facultés mentales et physiques libérées du cordon ombilical qui les rend dépendantes des données immédiates du réel social. Pour appliquer son idée, c'est-à-dire mettre fin au drame de l'homme asservi à une culture gratuite, il n'est pour Artaud qu'un seul moyen vraiment efficace: *la cruauté* comprise sous le sens de rigueur chirurgicale. Celle-ci sera comparable à «une opération de magie» accomplie dans «une salle d'opération» où l'on explorera la vie avec ses lumières et ses ombres, ses folies, ses rêves, leur sens augural et divinatoire, dans le but d'extraire du corps et de la matière l'esprit pur. Les manifestes du Théâtre Alfred Jarry nous intéressent d'autant plus que leur auteur ne s'en tient pas à une simple remise en question de formes désuètes. Ils portent déjà l'empreinte du *Théâtre de la cruauté* dans ce sens que l'art théâtral est comparé à un scalpel incisant et sondant les chairs, les sens, et les angoisses du spectateur qui, désormais, ira au spectacle comme «il va chez le chirurgien ou le dentiste».

L'idée de «faire crier» les spectateurs de façon qu'ils puissent renouer avec leurs semblables et l'existence, vue, cette fois, non plus à travers un tempérament mais par l'esprit, conduit Artaud aux sources humaines et inhumaines du théâtre: le moyen âge, l'antiquité, les sociétés primitives du Mexique et d'Asie avec leurs images sacrées, leurs masques, leur sorcellerie, leurs signes cabalistiques, et leurs mythes. D'un point de vue purement philosophique une telle démarche correspondait à un retour aux données de la métaphysique essentialiste. A son terme elle ramène la pensée moderne à la caverne de Platon avec ses ombres et sa conception du beau universel. Sur le plan politique, cependant, elle passa pour une hérésie. Elle allait à l'encontre du progrès et de la révolution sociale et politique. Contre cette accusation Artaud se défendit en déclarant que ce n'était pas lui mais les surréalistes qui avaient trahi leur idéal du jour où ils avaient mis leur art sous la tutelle du parti communiste. Dès lors leur révolution ne pouvait dépasser les bornes d'une philosophie matérialiste basée sur le machinisme utilisé comme moyen d'amélioration de la condition ouvrière. Dans ces conditions elle renonçait à travailler à la revalorisation de la pensée occidentale de plus en plus assujettie aux vieilles puissances de la force et du mal. Face à ce danger mortel, inhérent à la condition humaine, l'adhésion des surréalistes à la dialectique matérialiste du marxisme constitue en dernier lieu une solution simpliste qui ne pourra qu'entraver les efforts de ceux qui aspirent à une renaissance spirituelle de l'homme en dehors des contextes de la politique, de la religion, et de l'économie. De plus, une transmission des pouvoirs avec son corollaire naturel, la modification des structures sociales, ne sauraient changer en rien le *statu quo* si les créateurs de celles-ci négligent de se préoccuper des problèmes de l'âme. Pour cette raison, affirme Artaud, la seule révolution qui soit digne d'intérêt ne peut être que celle qui se charge d'assurer *la métamorphose de l'homme* plutôt que celle des régimes politiques. Il est difficile d'affirmer catégoriquement que cette conviction d'un ordre à la fois philosophique et culturel abrégea l'existence du Théâtre Alfred Jarry. Quoi qu'il en soit sa querelle avec les surréalistes ne facilita pas sa tâche. Ne disposant d'aucuns moyens financiers pour louer un local où il aurait été libre de monter ses spectacles d'essai, grevé de dettes, Artaud se vit contraint de renoncer à sa tentative.

Il serait faux de croire que son théâtre avorté fut un échec complet. Durant les saisons 1927-1929, Artaud avait présenté *Ventre brûlé ou la mère folle* dont il était l'auteur, *Gigogne* de Robert Aron, *Les Mystères de l'amour* de Roger Vitrac, pièces qui mettaient en cause les valeurs établies, dénonçaient la désagrégation de la pensée contemporaine. En outre furent joués, de Paul Claudel et sans son consentement, le troisième acte du *Partage de midi,* et, de Strindberg, *Le Songe ou jeu de rêves.* C'est à la suite de la représentation tumultueuse de cette pièce qu'eurent lieu l'arrestation d'André Breton et la rupture entre Artaud et les surréalistes. Le 5 janvier 1929 le Théâtre Alfred Jarry donnait sa dernière création, *Victor ou les enfants au pouvoir* de Roger Vitrac. A partir de cette date la vie d'Artaud se résume en un long et douloureux combat contre la maladie, le besoin, et l'incompréhension. En 1930 après un court séjour chez Jouvet, il publie dans la *Nouvelle Revue Française*: *Le Théâtre et la peste, La Mise en scène et la métaphysique, Le Théâtre alchimique.* En 1931 lors d'une visite à l'Exposition Coloniale il découvre le Théâtre balinais. Les représentations auxquelles il assiste ont sur lui l'effet d'une révélation. Cette expérience l'amène à écrire *Sur le Théâtre balinais* qui influencera plus tard Genet. Mais ce genre de littérature n'apporte à Artaud ni le succès ni la fortune. Après quelques essais au cinéma où il interprète plusieurs rôles tout en essayant d'adapter à l'écran ses théories, il abandonne définitivement la cinématographie. En 1932 il publie ses deux manifestes du *Théâtre de la cruauté* et fonde La Société Anonyme du Théâtre de la Cruauté avec l'aide des éditeurs Robert Denoël et Bernard Steele. Dans le dessein d'illustrer ses thèses il adapte *Les Cenci* tragédie en quatre actes et dix tableaux d'après Shelley et Stendhal. Représentée aux Folies-Wagram en mai 1935 cette pièce ne tint l'affiche que dix-sept jours.

Après cet échec il publie: *Théâtre oriental et théâtre occidental, Un Athlétisme affectif, Le Théâtre de Séraphin.* Désireux de s'initier aux mystères de la magie il entreprend un voyage au Mexique, terre des forces occultes et de la cruauté par excellence. Bien que cette aventure qu'il relate dans son *Voyage au pays des Tarahumaras* épuise ses maigres ressources, à peine de retour en France, il décide de se rendre en Irlande afin d'éclaircir un autre mystère, celui de «la canne de Saint Patrick» qu'il prétend posséder et à laquelle il attribue des pouvoirs surnaturels. Rapatrié dans des circonstances étranges il est interné en 1938, l'année même où paraît *Le Théâtre et son double.*

Durant huit ans Artaud, sain d'esprit sinon de corps, vit l'enfer des asiles d'aliénés. Quand il en sort en 1946, contre l'avis de sa sœur et grâce au dévouement que lui vouaient quelques amis dont Arthur Adamov, Jean Paulhan, et Paule Thévenin, il s'installe dans une clinique à Ivry, près de Paris. Surmontant les tortures d'un corps rongé par la maladie il entame sa dernière période, l'une des plus productives de sa carrière. En 1947 il publie *Van Gogh le suicidé de la société,* étude écrite en une semaine et qui lui vaut le prix Sainte-Beuve, puis à quelques mois d'intervalle il sort *Artaud le Mómo* et *Ci-gît précédé de la culture indienne.* Entre temps il donne une exposition de ses dessins et une lecture de ses poèmes. En 1948 il rédige une émission, *Pour en finir avec le jugement de Dieu,* qui sera interdite la veille de sa diffusion. Le 4 mars de cette année Antonin Artaud meurt d'un cancer. Il était né à Marseille en 1896. Dans le bref intervalle qui le sépare de l'asile d'aliénés à celui des morts, la vie fut pour cet exilé vivant comme une trève durant laquelle, en dépit de souffrances physiques atroces, il se vit enfin libre de revenir à son vieux rêve d'un théâtre nouveau, ce «théâtre de la cruauté» pour lequel il avait engagé toutes ses forces. Ce rêve, malheureusement, Artaud n'eut jamais le bonheur de le réaliser.

Ce prétendu fou, à en croire les témoignages de ses amis, était la gentillesse même. De tempérament mystique doublé d'une sensibilité presque maladive, il incarne l'homme à part, luttant héroïquement contre l'emprise de la chair sur l'esprit pour que «la force de la vérité» l'emporte sur «la vérité de la force». C'est ce perpétuel combat entre ces forces antagoniques qui persuade Artaud que *la vie est cruauté* et que, par conséquent, ce n'est qu'en tenant compte de cette vérité essentielle que le théâtre sera digne de son nom, en somme, qu'il «ne pourra redevenir lui-même, c'est-à-dire constituer un moyen d'illusion vraie, qu'en fournissant au spectateur des précipités véridiques de rêves, où son goût du crime, ses obsessions érotiques, sa sauvagerie, ses chimères, son sens utopique de la vie et des choses, son cannibalisme même, se débondent, sur un plan non pas supposé et illusoire, mais intérieur».[5] Derrière cette idée d'un spectacle de la cruauté se profile une métaphysique de l'univers qui conditionne une attitude d'esprit et une vision de l'homme considéré en tant que source d'énergie virtuelle. Et c'est justement pour défouler et actualiser toutes nos facultés, dont nous n'avons encore qu'une faible idée, qu'Artaud veut faire du théâtre un exercice terrible qui mettra en jeu une vie de façon à la transformer en la sublimant, semblable à *un creuset de feu* où se fondent les corps et les âmes. De même que l'alchimiste brasse la matière représentée par des éléments chimiques pour en faire de l'or, de même le théâtre alchimique se doit d'utiliser les forces de nos espaces intérieurs pour nous donner une idée exacte de nos véritables capacités et fouetter nos énergies.

Pour atteindre ce but, Artaud, élargissant les voies tracées par Jarry, se souvenant aussi des leçons de son ancien maître Charles Dullin, établit une esthétique théâtrale fondée sur une synthèse des procédés les plus primitifs et des techniques les plus modernes. Le puritanisme de la méthode, la discipline inflexible qu'elle nécessite de la part du metteur en scène, de l'auteur, et des acteurs, témoignent de la rigueur avec laquelle le théoricien traite son sujet. Cruel envers lui-même et son public, ses exigences ne s'expliquent que par la haute idée qu'il se fait du théâtre. Art sacré par excellence, tous les arts doivent le servir, la danse, l'opéra, la sculpture, la peinture, voire le music-hall, le mime, et la chansonnette.

De l'acteur il exige l'anonymat, une connaissance précise du langage hiéroglyphique des gestes tel qu'il est pratiqué depuis des siècles par les danseurs du théâtre oriental. Exhaussé sur des patins, le visage caché sous un masque, son corps sans forme dans un costume rembourré, il interprète une liturgie. Métamorphosé ainsi en marionnette aux attitudes stéréotypées, son grossissement interdit toute identification. Aliéné il surprend et possède, en même temps, la puissance d'une idole ou d'un mythe. Ses gestes et ses cris prolongent le mot, traduisent l'hallucination, la peur, l'onirisme, l'inconscient. Ses jeux de mains et de pieds hypnotisent, ensorcellent, reconquièrent les signes de l'existence et de l'esprit. Ses évolutions vident ou remplissent le plateau, cristallisent l'homme abstrait en pleine action.

[5] Antonin Artaud, *Œuvres complètes,* IV, (Paris, Gallimard, 1964), p. 109.

La danse et la musique traduisent le flux et le reflux des forces actives et génératrices de l'homme.

Au langage courant exprimant l'épuisement de la culture et des valeurs sont substitués des échanges verbaux qui ont l'éclat d'une «déflagration». Ils suscitent la menace, la honte, la peur, la révolte, l'anarchie, le chaos, la destruction; portés à leur paroxysme ils suggèrent la présence du mal au sein de la condition humaine, enfin la cruauté qui la déchire.

Le cloisonnement à l'italienne, symbole d'une philosophie de l'homme enserré dans la banalité de son milieu social, est supprimé pour être remplacé par un espace théâtral sans frontières, si possible en plein air.

Le spectacle intégral, sans décor vraisemblable, de par ses nécessités intérieures fait éclater les notions de temps et de lieu en bouleversant les rapports entre la scène et le parterre. Dorénavant il se déroulera autour du public ainsi intégré à l'action qui l'entoure et l'englobe pour qu'il puisse en subir les effets. Contagieux comme la peste, le drame entraînera un délire communicatif, engendrera un désordre panique qui réveillera chez les spectateurs tous les conflits qui dorment en eux, libérant du même coup l'Eros platonicien qui est liberté de vie et que les morales contraignantes ont dissimulé ou comprimé dans le subconscient en prétextant la vertu ou la décence.

Aidé de l'humour sous toutes ses formes, y compris le rire absolu, convulsé et âpre, ce spectacle fera éclater le mensonge des fausses vertus et l'absurdité des valeurs erronnées. Ayant recours à des faits extraordinaires, à des images physiques foudroyantes et profanatoires, les pièces du répertoire du théâtre de la cruauté violenteront la pensée pour en chasser la violence et l'obscène, conférant à l'existence «une nouvelle magie vitale».

Atténuer, sinon supprimer l'innéité du mal dans le monde, en fouettant le corps et l'esprit dans le but de faire accéder l'homme à ce bien supérieur, qui est la liberté individuelle, par la possession totale de ses facultés spirituelles, tel est l'idéal qu'Artaud proposait à ses contemporains dans ses écrits sur le théâtre conçu en tant qu'un «devenir». Un devenir qui aboutit à la mort de l'âme ou à une extrême purification.

Symbole de la déréliction du poète dans un monde régi par des puissances occultes, Artaud jouit aujourd'hui d'une gloire posthume qui ne cesse de croître avec le temps. Son œuvre est devenue le bréviaire des comédiens, des metteurs en scène, et de bien des auteurs de l'après-guerre. Camus fut parmi les premiers à reconnaître le génie de ce visionnaire. A la suggestion de J.-L. Barrault sur qui l'influence d'Artaud avait laissé une profonde marque, lors de la création d'*Autour d'une mère* en 1935, il créa *L'Etat de siège* en 1948 avec l'idée de renouveler le mythe de la peste dans un spectacle intégral conforme aux principes du *Théâtre de la cruauté.* Depuis cette date les essais d'adaption à la scène des théories d'Artaud n'ont fait que se multiplier. Mais c'est sans aucun doute Peter Brook à Londres et à New York avec son *Marat/Sade,* et Roger Blin à Paris, par sa brillante interprétation des *Paravents* de Genet, qui ont démontré une fois pour toutes la validité incontestable des thèses du *Théâtre et son double.*

On ne saurait nommer tous les dramaturges français et étrangers qui, avec Genet, Ionesco, Pichette, Beckett, Adamov, et Dubillard, ont été d'une façon ou d'une autre marqués par la pensée de ce poète des asiles. De lui les avant-gardistes du théâtre nouveau ont appris que l'art meurt dès qu'on le sépare de la vie et que celle-ci est le double du théâtre comme celui-ci est le double de la vie. Que la tâche du dramaturge consiste à relier la vie et la culture, à réconcilier la culture et l'homme, l'homme avec la réalité visible et invisible, de sorte que la chair, sevrée de la matière, n'emprisonne plus l'esprit rendu à sa liberté dans sa patrie de toujours et dont il ne cesse d'éprouver la nostalgie: celle du beau et du bien.

A l'origine du «théâtre d'ombres» auquel rêve un Genet il y a le théâtre de la cruauté d'Artaud qui puise sa poésie, sa force, et son inspiration aux sources lointaines du passé pour rejoindre les ombres de Platon dans la caverne.

LE BALCON

de

JEAN GENET

Courtesy Agence de Presse Bernand

Shown with Jean Genet (left) is Roger Blin at a rehearsal of *Les Paravents*.

JEAN GENET
(1907-)

Par sa vie ainsi que par son œuvre, Jean Genet est celui qui apporte le scandale. Par sa vie qui affiche avec effronterie tout ce que l'on voudrait refuser; par son œuvre qui proclame avec fierté les anti-valeurs qui menacent les fondements de notre existence.

Sa vie représente tout ce que notre société condamne, elle est un défi insolent et voulu à l'ordre établi, elle empêche que l'on ferme les yeux à la présence de tout ce que l'on voudrait nier, à tout ce qui inquiète. Enfant illégitime et abandonné, élevé par une famille de fermiers, Genet trouve sa voie dès l'âge de dix ans, quand comme le dit Sartre, il se choisit voleur pour assumer librement le rôle de paria que la société a voulu lui imposer. C'est un choix qui le mène d'abord à la maison de correction, ensuite d'une prison à l'autre. Dans la cellule et dans ses vagabondages à travers la France et l'Europe il découvre le monde des autres exilés, celui des tueurs, des gangsters, des prostitués des deux sexes, des souteneurs, des homosexuels. De ce monde étrange il tire les mythes qui vont imprégner son œuvre. Car ce n'est pas un portrait réaliste du «milieu» que l'on trouve dans son autobiographique *Journal d'un voleur,* mais la vision lyrique de ces bas-fonds. De même dans ses romans, de *Notre-Dame-des-Fleurs* jusqu'à *Querelle de Brest,* il transforme, grâce à une sorte de délire verbal, l'univers des criminels en univers poétique. Le roman devient poème en prose. La même matière lui sert de sujet pour sa première œuvre dramatique, *Haute surveillance*, qui a comme scène unique une cellule où sont enfermés trois hors-la-loi, parmi lesquels un condamné à mort. Cette première pièce, qui n'est pas sans rapport avec *Huis clos* de Sartre, ne veut nullement décrire les mœurs veritables des séquestrés ni être la représentation naturaliste de l'existance dans une maison pénitentiaire. Il s'agit plutôt de l'idéalisation de cette existence, de sa transformation en rite et en illusion. Ainsi quand l'ancien galérien Lefranc tue le jeune voyou Maurice, ce n'est pas, comme on pourrait le croire, un acte de jalousie mais un acte rituel qui s'intègre dans la totalité de cette messe désacralisée qu'est l'action de la tragédie.

Illusion et rite, ce sont les deux thèmes qui vont dominer les grands drames de Genet. Quand le rideau se lève sur *Les Bonnes* (sa première pièce à être représentée) on voit sur scène une maîtresse hautaine et dédaigneuse et une camériste d'abord humble puis qui finit par se révolter. Cette scène en apparence si normale est brutalement interrompue par la sonnerie inattendue d'un réveil-matin, sonnerie qui fait s'écrouler tout ce que l'on avait pris pour vrai. On apprend que cette réalité n'était que factice et qu'il s'agissait en effet de deux bonnes qui, pendant l'absence de leur maîtresse, incarnent leurs hantises dans une représentation cérémonieuse. C'est une comédie dangereuse, car elle tend à devenir la sublimation d'une relation infiniment complexe. Et ce jeu-rite, où se trouvent mélangés l'amour et la haine, s'achève dans le meurtre sacrificatoire d'une des bonnes. Au fond c'est le même jeu, si peu innocent, que l'on retrouve dans *Le Balcon* et dans la pièce la plus récente de Genet, *Les Paravents*; mais il trouve son expression la plus touffue dans *Les Nègres*, pièce sans intrigue qui se veut cérémonie pure. Cérémonie exécutée par des noirs qui ne le sont pas, qui sont plutôt l'image que les noirs croient que les blancs ont d'eux. Assiste à cette messe un autre groupe, celui des blancs (joués par des noirs) qui sont les blancs tels que se les imaginent les faux noirs. Il s'agit du procès, de la condamnation, et de l'exécution d'un noir criminel; pourtant, puisque tout est jeu, il n'y a ni juge, ni bourreau, ni victime: il n'y a que des acteurs qui font des gestes symboliques. Dans ce jeu de miroirs la réalité paraît s'être évanouie pour laisser la place aux réflexions sans nombre; un vide se creuse qui engloutit tout. Loin de s'arrêter là, l'auteur dans une dernière volte-face nous dévoile à la fin de la pièce une intrigue. Car il nous apprend qu'il y avait en effet une réalité et qu'une action avait eu lieu à notre insu dans les coulisses, où un véritable traître avait été vraiment assassiné. Le cérémonial auquel avait assisté le public servait en même temps de paravent pour cacher un autre drame. Et encore cet autre drame que l'on pourrait accepter comme réalité n'était-il peut-être qu'une autre illusion pour en cacher une autre? En menant à leur conclusion terrifiante les expériences d'un Pirandello, Genet nous entraîne dans un jeu vertigineux qui pourrait continuer à tout jamais.

Si par le fait de sa vie Genet s'attaque aux bases mêmes de la société, ce n'est que la structure extérieure de notre vie collective qu'il menace. Mais son œuvre met en doute une réalité plus profonde qui est celle de notre existence et atteint de cette façon son but, cette beauté dont Sartre dit qu'elle est «une valeur qui ne saurait jamais s'appliquer qu'à l'imaginaire et qui comporte la néantisation du monde dans sa structure essentielle».[1] Il est curieux de constater que la même société qui avait cru bon d'enfermer Genet pour ses vols et de le condamner à perpétuité en 1948 en tant que récidiviste l'a depuis laissé en liberté. Convaincus de son génie littéraire, Jean-Paul Sartre, Jean Cocteau, et d'autres encore avaient adressé une pétition au président de la République, qui l'a gracié. Le scandale de l'œuvre de Genet dépasse de loin le scandale de sa vie. Et pourtant c'est par cette œuvre même qu'il a réussi à racheter sa vie.

ŒUVRES DE GENET

THEATRE

Haute surveillance (Décines, Isère, L'Arbalète, 1947).
Les Bonnes (Décines, Isère, L'Arbalète, 1947).
Le Balcon (Décines, Isère, L'Arbalète, 1956).
Les Nègres (Décines, Isère, L'Arbalète, 1958).
Les Paravents (Décines, Isère, L'Arbalète, 1961).

ŒUVRES DIVERSES

Œuvres complètes II (Notre-Dame-des-Fleurs, Le Condamné à mort, Miracle de la rose, Un Chant d'amour) (Paris, Gallimard, 1953).

[1] Jean-Paul Sartre, *L'Imaginaire; psychologie phénoménologique de l'imagination* (Paris, Gallimard, 1948), p. 245.

Œuvres complètes III (Pompes funèbres, Le Pêcheur du Suquet, Querelle de Brest) (Paris, Gallimard, 1953).
L'Atelier d'Alberto Giacometti (suivi de: *L'Enfant criminel* et *Le Funambule)* (Décines, Isère, L'Arbalète, 1958).
Lettres à Roger Blin (Paris, Gallimard, 1966).

OUVRAGES A CONSULTER

Magnan, Jean-Marie, *Essai sur Jean Genet* (Paris, Seghers, « Poètes d' aujourd'hui », 1966).
McMahon, Joseph, *The Imagination of Jean Genet* (New Haven, Conn., Yale University Press, 1963).
Sartre, Jean-Paul, *Saint-Genêt, comédien et martyr* (Paris, Gallimard, 1952).

LE BALCON

*EDITION DEFINITIVE**

personnages

L'EVEQUE	LE 1er PHOTOGRAPHE
LE JUGE	LE 2e PHOTOGRAPHE
LE BOURREAU: ARTHUR	LE 3e PHOTOGRAPHE
LE GENERAL	LE MENDIANT. L'ESCLAVE
LE CHEF DE LA POLICE	IRMA: LA REINE
LE VIEUX	LA FEMME
ROGER	LA VOLEUSE
L'HOMME	LA FILLE
L'UN DES REVOLTES	CARMEN
L'ENVOYE	CHANTAL

* *This text is based on the third edition (1961), which contains many important revisions. Especially significant is the complete recasting of the sixth scene.*

COMMENT JOUER «LE BALCON»

*A Londres, au Arts Theatre—je l'ai vu—*Le Balcon *était mal joué. Il l'a été aussi mal à New York, à Berlin et à Paris—on me l'a dit. A Londres, le metteur en scène avait eu l'intention de malmener la seule monarchie anglaise, surtout la reine, et, par la scène du Général et du Cheval, de faire une satire de la guerre: son décor, des barbelés.*

Des barbelés dans un bordel de luxe!

A New York, le metteur en scène a carrément fait disparaître tout ce qui concernait la révolution.[1]

Berlin: un premier metteur en scène, espèce de caporal prussien, avait eu l'idée de transformer l'appareil permettant à madame Irma de voir et d'entendre ce qui se passe dans chacun de ses salons, en une sorte de poste de télévision en couleur, où les spectateurs auraient vu ce que madame Irma décrit. Autre idée de lui, teutonne: pour tout le monde des costumes 1900.

Paris. Le Général est amiral ou membre de l'Institut.[2] *Madame Irma refuse d'apparaître au lever du rideau et exige que dès les premières scènes la parole soit à Carmen. Les actrices remplacent un mot par un autre, le metteur en scène taille dans le texte.*

A Vienne, à Bâle, je ne sais plus ou je n'ai jamais su.

Le plateau tournant—Paris—était une sottise: je veux que

[1] *The whole sixth scene was suppressed in the New York production.*

[2] *The* **Institut de France** *is an honorary society, whose members consist of the most noted scholars, writers, and scientists of France.*

les tableaux se succèdent, que les décors se déplacent de gauche à droite, comme s'ils allaient s'emboîter les uns dans les autres, sous les yeux du spectateur. Mon intention était pourtant claire.

Dans les quatre scènes du début presque tout est joué exagérément, toutefois il y a des passages où le ton devra être plus naturel et permettre à l'exagération de paraître encore plus gonflée. En somme aucune équivoque, mais deux tons qui s'opposent.[3]

Au contraire, dès la scène entre madame Irma et Carmen, jusqu'à la fin, il s'agit de découvrir un ton de récit toujours *équivoque, toujours en porte-à-faux.*[4]

Les sentiments des protagonistes, inspirés par la situation, sont-ils feints, sont-ils réels? La colère, vers la fin de la pièce, du Chef de la Police à l'égard des Trois Figures, est-elle feinte, est-elle réelle? L'existence des révoltés est dans *le bordel, ou au dehors? Il faut tenir l'équivoque jusqu'à la fin.*

L'auteur de la pièce—à propos justement de la dernière scène—aimerait assez qu'on ne coupe, qu'on n'abrège aucune explication sous le prétexte d'aller vite, d'être plus clair, ou que tout a déjà été dit plus haut, ou que le public a compris, ou qu'il s'ennuie.

Les actrices ne doivent pas remplacer les mots comme boxon, bouic, foutoir, chibre,[5] *etc., par des mots de bonne compagnie.*[6] *Elles peuvent refuser de jouer dans ma pièce —on y mettra des hommes. Sinon qu'elles obéissent à ma phrase.*[7] *Je supporterai qu'elles disent les mots à l'envers. Par exemple: xonbo, trefou, couib, brechi, etc.*[8]

[3] *The author is interested neither in realism nor in satire, but rather in creating a certain tone.*

[4] **en porte-à-faux** never quite to the point

[5] *The first three words are slang equivalents for* brothel; **chibre** *is a very crude expression for* penis.

[6] **mots ... compagnie** well-mannered words

[7] **sinon ... phrase** otherwise, let them be faithful to my text

[8] *In the tradition of Jarry, Genet—like so many other avant-garde dramatists—likes to distort obscenities, thus transforming them into magic formulas.*

Essayer de rendre sensible la rivalité qui paraît exister entre Irma et Carmen. Je veux dire: qui dirige—la maison et la pièce? Carmen ou Irma?

J'ai eu l'idée de faire grimper les Trois Figures fondamentales sur de hauts patins. Comment les acteurs pourront-ils marcher avec ça sans se casser la gueule, sans se prendre les pattes[9] *dans les traines et les dentelles de leurs jupes? Qu'ils apprennent.*

Il va de soi que le costume d'Irma doit être, au début de la pièce, très austère. On peut même la supposer en deuil. C'est dans la scène avec Carmen qu'elle s'attifera, portera cette robe longue qui, dans la scène du Balcon deviendra, grâce à quelques décorations, la robe de la Reine.

Contrairement à ce qui a été fait à Paris, les Trois Figures (Evêque, Juge, Général) seront revêtus des uniformes, ou habits, en usage dans le pays où se joue la pièce. En France il fallait un juge rappelant ceux de nos Cours d'Assises et non un juge emperruqué; il fallait un Général au képi étoilé ou cerclé de feuilles de chênes[10] *et pas une espèce de Lord Amiral. Que les costumes soient excessifs mais non méconnaissables.*

Pas dire tout le temps du mal: ainsi, à Londres, le metteur en scène avait eu une idée, l'actrice figurant le cheval dessinait avec amour, pendant l'une de ses tirades, avec un bout de charbon des moustaches au Général.

Les photographes (dernier tableau) doivent porter la tenue et prendre les manières des jeunes gens les plus délurés de l'époque et du pays où—et quand—sera jouée la pièce. En France, en 1960, il fallait des Blousons Noirs en cuir et des Blue Jeans.[11]

Il faudra inventer le type révolutionnaire, puis le peindre

[9] **sans ... pattes** (*colloquial*) without breaking their necks or getting their feet caught

[10] *High-ranking French officers wear a kepi with stars bordered with a design of oak leaves.*

[11] *Black leather jackets and blue jeans are the uniform of the young hoodlums who are the French equivalent of English Teddy boys.*

ou modeler sur un masque, car, je ne vois personne, même parmi les protestants lyonnais[12] *ayant le visage assez long, assez triste et assez farouche pour jouer ce rôle. La fixité des masques irait assez bien. Mais qu'on ne coupe plus rien dans cette scène.* 5

Entre Irma et le Chef de la Police, les brefs instants de solitude doivent révéler, une vieille tendresse. Je ne sais pas pourquoi.

Tout ce que je viens d'écrire ne s'adresse pas, bien sûr, à un metteur en scène intelligent. Il sait ce qu'il a à faire. Mais les autres? 10

Encore une chose: ne pas jouer cette pièce comme si elle était une satire de ceci ou de cela. Elle est,—elle sera donc jouée comme—la glorification de l'Image et du Reflet. Sa signification—satirique ou non—apparaîtra seulement dans ce cas.[13] 15

[12] *The inhabitants of Lyon are supposed to have long, sad faces. Therefore, a Protestant from Lyon would have the same reputation as a puritan from New England.*

[13] *The author gives us one of the keys to his work: the importance of illusion. It might be interesting to compare Genet's treatment of this theme with the way Herman Hesse deals with the same idea in* Steppenwolf. *In the last section of this novel, Harry, the protagonist, enters into the "magic theatre" by way of a mirror-lined corridor. In this world of reflections he can learn to become anything—a tango dancer or a general. But at the end he must take part in the illusion of his own execution because he has "befouled the beautiful world of images with the dirty stains of reality."*

PREMIER TABLEAU

DECOR

Au plafond, un lustre qui demeurera le même, à chaque tableau.

Le décor semble représenter une sacristie, formée de trois paravents de satin, rouge sang.

5 *Dans le paravent du fond une porte est ménagée.*

Au-dessus un énorme crucifix espagnol, dessiné en trompe-l'œil.

Sur la paroi de droite un miroir—dont le cadre est doré et sculpté—reflète un lit défait qui, si la pièce était disposée 10 *logiquement, se trouverait dans la salle, aux premiers fauteuils d'orchestre.*

Une table avec un broc.

Un fauteuil jaune.

Sur le fauteuil un pantalon noir, une chemise, un veston.

15 *L'évêque, mitré et en chape*[1] *dorée, est assis dans le fauteuil.*

Il est manifestement plus grand que nature.[2]

Le rôle sera tenu par un acteur qui montera sur des patins de tragédien d'environ 0^m^ 50 *de haut.*[3]

20 *Ses épaules, où repose la chape, seront élargies à l'extrême, de façon qu'il apparaisse, au lever du rideau, démesuré et raide, comme un épouvantail.*

[1] **chape** cope, *a ceremonial cape that hooks in the front, usually worn only by cardinals*
[2] **plus ... nature** bigger than life
[3] **patins ... haut** 20-inch high cothurni, *or actor's stilts*

Son visage est grimé exagérément.

A côté une femme assez jeune, très fardée, et vêtue d'un peignoir de dentelle, s'essuie les mains à une serviette.

Debout, une femme, d'une quarantaine d'années, brune, visage sévère, vêtue d'un strict tailleur noir. C'est Irma. 5
Elle porte un chapeau, sur sa tête. Un chapeau, à bride serrée comme une jugulaire.[4]

L'EVEQUE *(assis dans le fauteuil, au milieu de la scène, d'une voix sourde, mais fervente).*—En vérité, ce n'est pas tant la douceur ni l'onction qui devraient définir un prélat, mais la plus rigou- 10
reuse intelligence. Le cœur nous perd. Nous croyons être maître de notre bonté: nous sommes l'esclave d'une sereine mollesse. C'est même d'autre chose encore que d'intelligence qu'il s'agit... *(Il hésite.)* Ce serait de cruauté. Et par delà cette cruauté—et par elle—une démarche habile, vigoureuse, vers l'Absence. Vers la 15
Mort. Dieu?[5] *(Souriant.)* Je vous vois venir! *(A sa mitre:)* Toi, mitre en forme de bonnet d'évêque, sache bien que si mes yeux se ferment pour la dernière fois, ce que je verrai, derrière mes paupières, c'est toi, mon beau chapeau doré... C'est vous, beaux ornements, chapes, dentelles... 20

IRMA *(brutale. Durant tout le tableau, elle bougera à peine. Elle est placée très près de la porte).*—Ce qui est dit est dit. Quand les jeux sont faits...[6]

L'EVEQUE *(très doux, d'un geste écartant Irma).*—Et que les dés sont jetés...[7] 25

IRMA.—Non. Deux mille, c'est deux mille,[8] et pas d'histoires.[9] Ou je me fâche. Et ce n'est pas dans mes habitudes... Maintenant, si vous avez des difficultés...

[4] **à bride ... jugulaire** bonnet strings tied tightly like the chin straps of a helmet

[5] *This mystique of cruelty, a constant theme in Genet's works, is undoubtedly inspired by the theories of Artaud. See Introduction.*

[6] **quand ... faits** when the chips are down

[7] **et que ... jetés** and the die is cast. *This use of banal speech forms is typical of the new theatre.*

[8] *Read* **deux mille francs.** *Irma brutally destroys the illusion by insisting on her price.*

[9] **pas d'histoires** no nonsense

L'EVEQUE *(sec et jetant la mitre)*.—Merci.

IRMA.—Ne cassez rien. Ça doit servir. *(A la femme:)* Range ça. *(Elle pose la mitre sur la table, près du broc.)*

L'EVEQUE *(après un lourd soupir)*.—On m'a dit que cette maison allait
5 être assiégée? Les révoltés ont déjà passé le fleuve.

IRMA *(soucieuse)*.—Il y a du sang partout... Vous longerez le mur de l'archevêché. Vous prendrez la rue de la Poissonnerie...

On entend soudain un grand cri de douleur poussé par une femme qu'on ne voit pas.

10 *(Agacée.)* Je leur avais pourtant recommandé d'être silencieux. Heureusement que j'ai pris la précaution de boucher toutes les fenêtres d'un rideau molletonné. *(Soudain aimable, insidieuse.)* Et qu'est-ce que nous avons accompli ce soir? Bénédiction? Prière? Messe? Adoration perpétuelle?

15 L'EVEQUE *(grave)*.—Ne parlez pas de ça maintenant. C'est fini. Je ne songe qu'à rentrer... Vous dites que la ville est en sang...

LA FEMME *(l'interrompant)*.—Il y a eu bénédiction, madame. Ensuite ma confession...

IRMA.—Après?

20 L'EVEQUE.—Assez!

LA FEMME.—C'est tout. A la fin mon absolution.

IRMA.—Personne ne pourra donc y assister? Rien qu'une fois?

L'EVEQUE *(effrayé)*.—Non, non. Ces choses-là doivent rester et resteront secrètes. Il est déjà indécent d'en parler pendant qu'on me
25 déshabille. Personne. Et que toutes les portes soient fermées. Oh, bien fermées, closes, boutonnées, lacées, agrafées, cousues...[10]

IRMA.—Je vous le demandais...

L'EVEQUE.—Cousues, madame.

IRMA *(agacée)*.—Vous permettez au moins que je m'inquiète... pro-
30 fessionnellement? Je vous ai dit deux mille.

10 *Such enumerations, humorous and hallucinating at the same time, are typical of Genet's* **délire verbal.**

L'EVEQUE *(Sa voix soudain se clarifie, se précise, comme s'il s'éveillait. Il montre un peu d'irritation).*—On ne s'est pas fatigué. A peine six péchés, et loin d'être mes préférés.

LA FEMME.—Six, mais capitaux! Et j'ai eu du mal à les trouver.

L'EVEQUE *(inquiet).*—Comment, ils étaient faux? 5

LA FEMME.—Tous vrais! Je parle du mal que j'ai eu pour les commettre. Si vous saviez ce qu'il faut traverser, surmonter, pour arriver à la désobéissance.

L'EVEQUE.—Je m'en doute, mon petit. L'ordre du monde est si anodin que tout y est permis—ou presque tout. Mais si tes péchés étaient 10 faux, tu peux le dire à présent.

IRMA.—Ah non! J'entends déjà vos réclamations quand vous reviendrez. Non. Ils étaient vrais. *(A la femme:)* Défais-lui ses lacets. Déchausse-le. Et en l'habillant qu'il ne prenne pas froid. *(A l'Evêque:)* Vous voulez un grog, une boisson chaude? 15

L'EVEQUE.—Merci. Je n'ai pas le temps. Il faut que je parte. *(Rêveur)* Oui, six, mais capitaux!

IRMA.—Approchez, on va vous déshabiller!

L'EVEQUE *(suppliant, presqu'à genoux).*—Non, non, pas encore.

IRMA.—C'est l'heure. Allons! Vite! Plus vite! 20

Tout en parlant, on le déshabille. Ou plutôt on ne défait que des épingles, on dénoue des cordons qui semblent retenir la chape, l'étole, le surplis.

L'EVEQUE *(à la fille).*—Les péchés, tu les as bien commis?

LA FEMME.—Oui. 25

L'EVEQUE.—Tu as bien fait les gestes? Tous les gestes?

LA FEMME.—Oui.

L'EVEQUE.—Quand tu t'approchais de moi, tendant ton visage, c'est bien les reflets du feu qui l'illuminaient?

LA FEMME.—Oui. 30

L'EVEQUE.—Et quand ma main baguée se posait sur ton front en le pardonnant...

LA FEMME.—Oui.

L'EVEQUE.—Et que mon regard plongeait dans tes beaux yeux?

LA FEMME.—Oui.

IRMA.—Dans ses beaux yeux, monseigneur, le repentir, au moins est-il
5 passé?

L'EVEQUE. *(se levant)*.—Au galop.[11] Mais, est-ce que j'y cherchais le repentir? J'y vis le désir gourmand de la faute. En l'inondant, le mal tout à coup l'a baptisée. Ses grands yeux s'ouvrirent sur l'abîme... une pâleur de mort avivait—oui madame Irma—avivait
10 son visage. Mais notre sainteté n'est faite que de pouvoir vous pardonner vos péchés. Fussent-ils joués?

LA FEMME *(soudain coquette)*.—Et si mes péchés étaient vrais?

L'EVEQUE *(d'un ton différent, moins théâtral)*.—Tu es folle! J'espère que tu n'as pas réellement fait tout cela?

15 IRMA *(à l'Evêque)*.—Mais ne l'écoutez pas. Pour ses péchés, soyez rassurés. Il n'y a pas ici...

L'EVEQUE *(l'interrompant)*.—Je le sais bien. Ici il n'y a pas la possibilité de faire le mal. Vous vivez dans le mal. Dans l'absence de remords. Comment pourriez-vous faire le mal? Le Diable joue.
20 C'est à cela qu'on le reconnaît. C'est le grand Acteur. Et c'est pourquoi l'Eglise a maudit les comédiens.[12]

LA FEMME.—La réalité vous fait peur, n'est-ce pas?

L'EVEQUE.—S'ils étaient vrais, tes péchés seraient des crimes, et je serais dans un drôle de pétrin.[13]

25 LA FEMME.—Vous iriez à la police?

Irma continue à le déshabiller. Toutefois il a encore la chape posée sur ses épaules.

IRMA.—Mais laissez-la, avec toutes ces questions.

On entend encore le même cri terrible.

[11] **au galop** fleetingly

[12] *A constant play between the various levels of illusion: that of the stage itself and of the play within a play. Pirandello, especially in* Six Characters in Search of an Author *and in* Henry IV *used much the same technique.*

[13] **je serais ... pétrin** I'd be in a fine mess

Encore eux! Je vais aller les faire taire.

L'EVEQUE.—Ce cri n'était pas joué.

IRMA *(inquiète)*.—Je ne sais pas... qu'en savons-nous, et quelle importance?

L'EVEQUE *(s'approchant lentement du miroir, il se plante devant lui)*.— 5
... Mais répondez donc, miroir, répondez-moi. Est-ce que je viens ici découvrir le mal et l'innocence? *(A Irma, très doucement.)* Sortez! Laissez-moi seul!

IRMA.—Il est tard. Vous ne pourrez plus partir sans danger...

L'EVEQUE *(suppliant)*.—Juste une minute. 10

IRMA.—Il y a deux heures vingt que vous êtes ici. C'est-à-dire vingt minutes de trop...

L'EVEQUE *(soudain courroucé)*.—Laissez-moi seul. Ecoutez aux portes si vous voulez, je sais que vous le faites, et rentrez quand j'aurai fini. 15

Les deux femmes sortent en soupirant, l'air excédé. L'Evêque reste seul; après avoir fait un effort visible pour se calmer, devant le miroir et tenant son surplis.

... Répondez donc, miroir, répondez-moi. Est-ce que je viens ici découvrir le mal et l'innocence? Et dans vos glaces dorées, 20 qu'étais-je? Je n'ai jamais, je l'atteste devant Dieu qui me voit, je n'ai jamais désiré le trône épiscopal. Devenir évêque, monter les échelons—à force de vertus ou de vices—c'eût été m'éloigner de la dignité définitive d'évêque. Je m'explique: *(L'Evêque parlera d'un ton très précis, comme s'il poursuivait un raisonnement* 25 *logique)* pour devenir évêque, il eût fallu que je m'acharne à ne l'être pas, mais à faire ce qui m'y eût conduit. Devenu évêque, afin de l'être, il eût fallu—afin de l'être pour moi, bien sûr!—il eût fallu que je ne cesse de me savoir l'être pour remplir ma fonction.[14] *(Il saisit le pan de son surplis et le baise.)* Oh, den- 30 telles, dentelles, travaillées par mille petites mains pour voiler

[14] *The difficulty of being a bishop in real life is that in order to be the essence of a bishop one would have to live in a state of constant self-awareness. In other words, one would have to be the thing reflected, the reflection and the mirror simultaneously.*

tant de gorges haletantes, gorges gorgées, et de visages, et de cheveux, vous m'illustrez de branches et de fleurs! Reprenons.

Mais—c'est là le hic![15] *(Il rit.)* Ainsi je parle latin!—une fonction est une fonction. Elle n'est pas un mode d'être. Or, évêque, c'est
5 un mode d'être. C'est une charge. Un fardeau. Mitres, dentelles, tissus d'or et de verroteries, génuflexions... Aux chiottes la fonction![16]

Crépitement de mitrailleuse

IRMA *(passant la tête par la porte entre-bâillée).*—Vous avez fini?

10 L'EVEQUE.—Mais laissez-moi, nom de Dieu. Foutez le camp![17] Je m'interroge.

Irma referme la porte.

La majesté, la dignité, illuminant ma personne, n'ont pas leur source dans les attributions de ma fonction.—Non plus, ciel!
15 que dans mes mérites personnels—La majesté, la dignité qui m'illuminent, viennent d'un éclat plus mystérieux: c'est que l'évêque me précède. Te l'ai-je bien dit, miroir, image dorée, ornée comme une boîte de cigares mexicains? Et je veux être évêque dans la solitude, pour la seule apparence... Et pour
20 détruire toute fonction, je veux apporter le scandale[18] et te trousser,[19] putain, putasse, pétasse et poufiasse...[20]

[15] **c'est là le hic** there's the rub. **Hic** *is the Latin demonstrative pronoun* this, *which explains the following statement of the Bishop and at the same time adds a humorous touch. A bishop should be able to speak Latin, but this expression is a very popular one and not the Church Latin, which a bishop would be expected to speak. This whole passage is in the stream-of-consciousness style with a constant movement between sober reflection, eroticism, poetic fantasy, and vulgarity. Words are no longer linked logically but affectively* (*i.e.* **gorge gorgée**).

[16] **aux chiottes la fonction!** To hell with the function! **Chiottes** *is an extremely crude expression for* toilet.

[17] **Foutez le camp!** Get the hell out of here!

[18] *like Christ who also came to* **apporter le scandale**

[19] **te trousser** to lift up your skirt

[20] *These are four extremely coarse words for* whore. *This example of Genet's "lyricism of the obscene" is particularly effective because it follows close on an almost mystical passage. One can compare this to Céline's similar attempt to find a poetry of the vulgar. But at the same time there are important philosophical implications in this passage. The Bishop seeks the purity of the absolute by divesting the condition of being bishop of all its functions in order to leave only the pure essence (which is appearance). But to achieve this goal he must use the most impure means.*

IRMA. *(rentrant).*—Ça suffit, maintenant. Il va falloir partir.

L'EVEQUE.—Vous êtes folles, je n'ai pas fini.

Les deux femmes sont rentrées.

IRMA.—Je ne vous cherche pas, et vous le savez, des querelles pour le plaisir, mais vous n'avez pas de temps à perdre... Je vous répète qu'il y a du danger pour tout le monde à s'attarder dans les rues.

Bruit de mitraillade, au loin.

L'EVEQUE *(amer).*—Vous vous foutez bien[21] de ma sécurité. Quand tout est fini, vous vous foutez du monde!

IRMA *(à la fille).*—Ne l'écoute plus et déshabille-le. *(A l'Evêque qui est descendu de ses patins et qui a maintenant les dimensions normales d'un acteur, du plus banal des acteurs.)* Aidez-vous, vous êtes raide.

L'EVEQUE *(l'air idiot).*—Raide? Je suis raide? Raideur solennelle! Immobilité définitive...

IRMA *(à la fille).*—Passe-lui son veston...

L'EVEQUE *(regardant ses fripes qui s'entassent à terre).*—Ornements, dentelles, par vous je rentre en moi-même. Je reconquiers un domaine. J'investis une très ancienne place forte d'où je fus chassé. Je m'installe dans une clairière où, enfin, le suicide est possible. Le jugement dépend de moi et me voici face à face avec ma mort.[22]

IRMA.—C'est beau, mais il faut partir. Vous avez laissé votre voiture à la porte de la rue, près du pylône...

L'EVEQUE *(à Irma).*—Car notre préfet de police, ce pauvre incapable, nous laisse égorger par la racaille! *(Se tournant vers le miroir et déclamant.)* Ornements! Mitres! Dentelles! Chape dorée surtout, toi, tu me gardes du monde. Où sont mes jambes, où sont mes bras? Sous tes pans moirés, glacés, que font mes mains? Inaptes à autre chose qu'esquisser un geste qui voltige, elles sont devenues moignons d'ailes—non d'anges, mais de pintades!

[21] **vous vous foutez bien** you don't give a holy damn
[22] *Death does not exist in the world of illusion.*

—chape rigide, tu permets que s'élabore, au chaud et dans l'obscurité, la plus tendre, la plus lumineuse douceur. Ma charité, qui va inonder le monde, c'est sous cette carapace que je l'ai distillée... Quelquefois, comme un couteau, ma main sortait
5 pour bénir? Ou couper, faucher? Tête de tortue, ma main écartait les pans. Tortue ou vipère prudente? Et rentrait dans le roc. Dessous, ma main rêvait... Ornements, chapes dorées...[23]

La scène se déplace de gauche à droite, comme si elle s'enfonçait dans la coulisse. Apparaît alors le décor
10 *suivant.*

[23] *This passage is charged with a ritualistic poetry, achieved in part through the haunting repetition of certain words.* **Ornements, dentelles,** *and* **chapes dorées** *become incantatory magic formulas. They weave a spell that maintains the Bishop in his state of grace, or illusion.*

DEUXIEME TABLEAU

DECOR

Même lustre. Trois paravents bruns. Murs nus.

Même miroir, à droite, où se réfléchit le même lit défait qu'au premier tableau.

Une femme, jeune et belle, semble enchaînée, poignets liés.

Sa robe, de mousseline, est lacérée. Les seins sont visibles.

Debout, devant elle, le bourreau. C'est un géant, nu jusqu'à la ceinture. Très musclé. Son fouet est passé derrière la boucle de sa ceinture, dans le dos, de sorte qu'il semble être pourvu d'une queue.

Un juge qui, lorsqu'il se relèvera, paraîtra démesuré, lui aussi rallongé par des patins, invisibles sous sa robe, et le visage maquillé, à plat ventre, rampe en direction de la femme qui recule à mesure.

LA VOLEUSE *(tendant son pied)*.—Pas encore! Lèche! Lèche d'abord...

Le juge fait un effort pour ramper encore, puis il se relève et, lentement, péniblement, apparemment heureux, il va s'asseoir sur un escabeau.

La voleuse, cette dame décrite plus haut, change d'attitude, et de dominatrice, devient humble.

LE JUGE *(sévère)*.—Car tu es une voleuse! On t'a surprise... Qui? La police... Tu oublies qu'un réseau subtil et solide, mes flics d'acier,[1] emprisonne vos gestes? Insectes aux regards mobiles, montés sur pivots,[2] ils vous guettent. Toutes! Et toutes, captives, ils vous apportent au Palais... Qu'as-tu à répondre? On t'a surprise... Sous ta jupe... *(Au bourreau)* Passe-lui la main sous le

[1] **flics d'acier** tough cops
[2] **montés sur pivots** swivelling

jupon, tu trouvera la poche, la fameuse poche Kangourou.[3] *(A la voleuse.)* Que tu remplis de tout ce que tu rafles sans choix. Car tu es insatiable et nib' de[4] discernement. En plus tu es idiote... *(Au bourreau.)* Qu'y avait-il, dans cette célèbre poche
5 Kangourou? Dans cette énorme bedaine?

LE BOURREAU.—Des parfums, Monsieur le Juge, une lanterne, une bouteille de fly-tox, des oranges, plusieurs paires de chaussettes, des oursins, une serviette éponge, une écharpe. *(Au juge.)* Vous m'entendez? Je dis: une écharpe.[5]

10 LE JUGE *(sursautant)*.—Une écharpe? Ah, ah, nous y voici. Et pour quoi faire, l'écharpe? Hein, pour quoi faire? Etrangler qui? Réponds. Etrangler qui?... Tu es une voleuse ou une étrangleuse? *(Très doux, implorant.)* Dis-moi, mon petit, je t'en supplie, dis-moi que tu es une voleuse.

15 LA VOLEUSE.—Oui, monsieur le Juge!

LE BOURREAU.—Non!

LA VOLEUSE *(le regardant, étonnée)*.—Non?

LE BOURREAU.—C'est pour plus tard.[6]

LA VOLEUSE.—Hein?

20 LE BOURREAU.—Je dis: l'aveu doit venir en son heure. Nie.

LA VOLEUSE.—Pour avoir encore des coups!

LE JUGE *(mielleux)*.—Justement, mon petit: pour avoir des coups. Tu dois nier d'abord, puis avouer et te repentir. De tes beaux yeux je veux voir jaillir l'eau tiède. Oh! Je veux que tu en sois trem-
25 pée. Pouvoir des larmes!... Où est mon code? *(Il cherche sous sa jupe et ramène un livre.)*

LA VOLEUSE.—J'ai déjà pleuré...

LE JUGE *(il semble lire)*.—Sous les coups. Je veux des larmes de re-

[3] *A kangaroo pocket is what shoplifters use to hide their stolen goods.*

[4] **nib' de** *(slang)* no

[5] *The Executioner has to prompt the Judge who seems to forget his part.*

[6] *In this scene, too, there is an interplay between illusion and reality, but the accent is more on the comic, as the Executioner tries to help the new girl in her role.*

pentir. Quand je t'aurai vue mouillée comme un pré, je serai comblé.

LA VOLEUSE.—Ce n'est pas facile. Tout à l'heure, j'ai essayé de pleurer...

LE JUGE *(ne lisant plus, ton mi-théâtral, presque familier)*.—Tu es bien jeune. Tu es nouvelle? *(Inquiet.)* Tu n'es pas mineure au moins? 5

LA VOLEUSE.—Non, non, monsieur...

LE JUGE.—Appelle-moi monsieur le Juge. Quand es-tu arrivée?

LE BOURREAU.—Avant-hier, monsieur le Juge. 10

LE JUGE *(reprise du ton théâtral et reprise de la lecture)*. Laisse-la parler. J'aime cette voix sans consistance, cette voix éparse... Ecoute: il faut que tu sois une voleuse modèle, si tu veux que je sois un juge modèle.[7] Fausse voleuse, je deviens un faux juge. C'est clair? 15

LA VOLEUSE.—Oh oui, monsieur le Juge.

LE JUGE *(il continue à lire)*.—Bien. Jusqu'à présent tout se passait bien. Mon bourreau cognait dur... car lui aussi a sa fonction. Nous sommes liés: toi, lui, moi. Par exemple, s'il ne cognait pas, comment pourrais-je l'arrêter de cogner? Donc, il doit frapper 20 pour que j'intervienne et prouve mon autorité. Et tu dois nier afin qu'il te frappe.

On entend un bruit: quelque chose a dû tomber dans la pièce à côté.

(Ton naturel:) Qu'est-ce que c'est? Toutes les portes sont bien 25 fermées? Personne ne peut nous voir, ni nous entendre?

LE BOURREAU.—Non, non, soyez tranquille. J'ai tiré le verrou. *(Il va examiner un énorme verrou à la porte du fond.)* Et le couloir est consigné.

LE JUGE *(ton naturel)*.—Tu es sûr? 30

[7] *The Judge, like the Bishop, has aspirations toward the absolute.*

LE BOURREAU.—Je vous le certifie. *(Il met la main à sa poche.)* Je peux en griller une?[8]

LE JUGE *(ton naturel).*—L'odeur du tabac m'inspire, grille.

Même bruit que tout à l'heure.

5 Oh, mais qu'est-ce que c'est? Mais qu'est-ce que c'est? Je n'aurai pas la paix? *(Il se lève.)* Qu'est-ce qui se passe?

LE BOURREAU *(sec).*—Mais rien. On a dû faire tomber quelque chose. C'est vous qui êtes nerveux.

LE JUGE *(ton naturel).*—C'est possible, mais ma nervosité me ren-
10 seigne. Elle me tient en éveil.[9] *(Il se lève et s'approche de la paroi.)* Je peux regarder?

LE BOURREAU.—Juste un coup d'œil, parce qu'il se fait tard. *(Le bourreau hausse les épaules et échange un clin d'œil avec la voleuse.)*

LE JUGE *(après avoir regardé).*—C'est illuminé. Eclatant... mais vide.

15 LE BOURREAU *(haussant les épaules).*—Vide!

LE JUGE *(sur un ton encore plus familier).*—Tu paraîs inquiet. Il y a du nouveau?

LE BOURREAU.—Cet après-midi, juste avant votre arrivée, trois points principaux sont tombés aux mains des révoltés. Ils avaient al-
20 lumé plusieurs incendies: aucun pompier n'est sorti. Tout a flambé. Le Palais...

LE JUGE.—Et le Préfet de Police? Il se les roule,[10] comme d'habitude?

LA VOLEUSE.—On est resté sans nouvelles de lui pendant quatre heures. S'il peut s'échapper, il viendra sûrement ici. On l'attend
25 d'un moment à l'autre.

LE JUGE *(à la voleuse, et s'asseyant).*—En tous les cas, qu'il n'espère pas franchir le pont de la Reine, il a sauté cette nuit.

LA VOLEUSE.—On le savait. On a entendu l'explosion d'ici.

LE JUGE *(reprise du ton théâtral. Il lit dans le Code).*—Enfin. Repre-

[8] **Je peux en griller une?** *(slang)* Can I have a smoke?
[9] **elle me tient en éveil** it keeps me on my toes
[10] **il se les roule** he's twiddling his thumbs

nons. Donc, profitant du sommeil des justes, profitant du sommeil d'une seconde, tu les dévalises, tu les dépouilles, tu les dérobes et détrousses...[11]

LA VOLEUSE.—Non, monsieur le Juge, jamais...

LE BOURREAU.—Je zèbre? 5

LA VOLEUSE *(dans un cri)*.—Arthur!

LE BOURREAU.—Qu'est-ce qui te prend?[12] Ne m'adresse pas la parole. Réponds à monsieur le Juge. Et moi, appelle-moi Monsieur le Bourreau.

LA VOLEUSE.—Oui, monsieur le Bourreau. 10

LE JUGE *(lisant)*.—Je reprends: as-tu volé?

LA VOLEUSE.—Oui. Oui, monsieur le Juge.

LE JUGE *(lisant)*.—Bien. Maintenant réponds vite, et juste: qu'est-ce que tu as volé encore?

LA VOLEUSE.—Du pain, parce que j'avais faim. 15

LE JUGE *(Il se dresse et pose le livre)*.—Sublime! Fonction sublime! J'aurai à juger tout cela. Oh, petite, tu me réconcilies avec le monde. Juge! Je vais être juge de tes actes! C'est de moi que dépendent la pesée, l'équilibre. Le monde est une pomme, je la coupe en deux: les bons, les mauvais. Et tu acceptes, merci, tu 20 acceptes d'être la mauvaise! *(Face au public.)* Sous vos yeux: rien dans les mains, rien dans les poches, enlevez le pourri, et le jetez. Mais c'est une occupation douloureuse. S'il était prononcé avec sérieux, chaque jugement me coûterait la vie. C'est pourquoi je suis mort. J'habite cette région de l'exacte liberté. 25 Roi des Enfers, ce que je pèse, ce sont des morts comme moi. C'est une morte comme moi.

LA VOLEUSE.—Vous me faites peur, monsieur.

LE JUGE *(avec beaucoup d'emphase)*.—Tais-toi. Au fond des Enfers, je partage les humains qui s'y risquent. Une partie dans les 30

[11] *various expressions for* to rob
[12] **Qu'est-ce qui te prend?** What's gotten into you?

flammes, l'autre dans l'ennui des champs d'asphodèles.[13] Toi, voleuse, espionne, chienne, Minos[14] te parle, Minos te pèse. *(Au Bourreau.)* Cerbère?[15]

LE BOURREAU *(imitant le chien)*.—Houah, houah!

5 LE JUGE.—Tu es beau! Et la vue d'une nouvelle victime t'embellit encore. *(Il lui retrousse les lèvres.)* Montre tes crocs? Terribles. Blancs. *(Soudain, il paraît inquiet. A la voleuse:)* Mais au moins, tu ne mens pas, ces vols, tu les as bien commis?

LE BOURREAU.—Vous pouvez être tranquille. Il n'aurait pas fallu
10 qu'elle s'avisât de ne pas le faire.[16] Je la traînerais plutôt.

LE JUGE.—Je suis presqu'heureux. Continue. Qu'as-tu volé?

Soudain, un crépitement de mitrailleuse.

Ça n'en finira jamais. Pas un moment de repos.

LA VOLEUSE.—Je vous l'ai dit: la révolte a gagné tous les quartiers
15 Nord...

LE BOURREAU.—Ta gueule![17]

LE JUGE *(irrité)*.—Vas-tu me répondre, oui ou non? Qu'as-tu volé encore? Où? Quand? Comment? Combien? Pourquoi? Pour qui?— Réponds.

20 LA VOLEUSE.—Très souvent je suis entrée dans les maisons pendant l'absence des bonnes, en passant par l'escalier de service... Je volais dans les tiroirs, je cassais la tirelire des gosses.[18] *(Elle cherche visiblement ses mots.)* Une fois, je me suis déguisée en honnête femme. J'avais mis un costume tailleur puce, un cha-
25 peau de paille noire avec des cerises, une voilette, et une paire de souliers noirs—talon bottier[19]—alors, je suis entrée...

LE JUGE *(pressé)*.—Où? Où? Où? Où—où—où? Où es-tu entrée?

[13] *The asphodel, a flower belonging to the lily family, is associated with death; it is the sacred flower of Persephone, queen of Hades.*
[14] *the judge who weighs souls in Hades*
[15] *the three-headed dog that guards the entrance to Hades*
[16] *This pompous and poorly turned sentence is typical of the Executioner. It is best translated freely as* it's just as well she didn't even think of not doing it.
[17] **Ta gueule!** *(very vulgar)* Shut up!
[18] **la tirelire des gosses** the piggybank of the kids
[19] **talon bottier** stack heel

LA VOLEUSE.—Je ne sais plus, pardonnez-moi?

LE BOURREAU.—Je cogne?

LE JUGE.—Pas encore. *(A la fille:)* Où es-tu entrée? Dis-moi où?

LA VOLEUSE *(affolée)*.—Mais je vous jure, je ne sais plus.

LE BOURREAU.—Je cogne? Monsieur le Juge, je cogne? 5

LE JUGE *(au bourreau et s'approchant de lui)*.—Ah! ah! ton plaisir dépend de moi. Tu aimes cogner, hein? Je t'approuve, Bourreau! Magistral tas de viande, quartier de bidoche[20] qu'une décision de moi fait bouger! *(Il feint de se regarder dans le bourreau.)*[21] Miroir qui me glorifie! Image que je peux toucher, je t'aime. 10 Jamais je n'aurais la force ni l'adresse pour laisser sur son dos des zébrures de feu. D'ailleurs, que pourrais-je faire de tant de force et d'adresse? *(Il le touche.)* Tu es là? Tu es là, mon énorme bras, trop lourd pour moi, trop gros, trop gras pour mon épaule et qui marche tout seul à côté de moi! Bras, quintal[22] de viande, 15 sans toi je ne serais rien... *(A la voleuse.)* Sans toi non plus, petite. Vous êtes mes deux compléments parfaits... Ah le joli trio que nous formons! *(A la voleuse.)* Mais toi, tu as un privilège sur lui, sur moi aussi d'ailleurs, celui de l'antériorité. Mon être de juge est une émanation de ton être de voleuse. Il suffirait que tu 20 refuses... mais ne t'en avise pas!... que tu refuses d'être qui tu es—ce que tu es, donc qui tu es—pour que je cesse d'être... et que je disparaisse, évaporé. Crevé. Volatilisé. Nié. D'où: le Bien issu du... Mais alors? Mais alors? Mais tu ne refuseras pas, n'est-ce pas? Tu ne refuseras pas d'être une voleuse? Ce serait mal. 25 Ce serait criminel. Tu me priverais d'être! *(Implorant.)* Dis, mon petit, mon amour, tu ne refuseras pas?

LA VOLEUSE *(coquette)*.—Qui sait?

LE JUGE.—Comment? Qu'est-ce que tu dis? Tu me refuserais? Dis-moi où? Et dis-moi encore ce que tu as volé? 30

LA VOLEUSE *(sèche, et se relevant)*.—Non.

[20] **quartier de bidoche** side of meat. **Bidoche** *is a slang expression for* poor quality beef.
[21] *This theme of seeing oneself in others can be found in Sartre's* Huis clos.
[22] **quintal** hundredweight

LE JUGE.—Dis-moi où? Ne sois pas cruelle...

LA VOLEUSE.—Ne me tutoyez pas, voulez-vous?

LE JUGE.—Mademoiselle... Madame. Je vous en prie. *(Il se jette à genoux.)* Voyez, je vous en supplie? Ne me laissez pas dans une
5 pareille posture, attendant d'être juge? S'il n'y avait pas de juge, où irions-nous, mais s'il n'y avait pas de voleurs?

LA VOLEUSE *(ironique)*.—Et s'il n'y en avait pas?

LE JUGE.—Ce serait terrible. Mais vous ne me jouerez pas un tour pareil, n'est-ce pas? Vous ne ferez pas qu'il n'y en ait pas? Com-
10 prends-moi bien: que tu te dissimules aussi longtemps que tu le peux et que mes nerfs le supportent, derrière le refus d'a-vouer, que malicieusement tu me fasses languir, trépigner si tu veux, piaffer, baver, suer, hennir d'impatience, ramper... car tu veux que je rampe?

15 LE BOURREAU *(au juge)*.—Rampez!

LE JUGE.—Je suis fier!

LE BOURREAU *(menaçant)*.—Rampez!

Le juge, qui était à genoux, se couche à plat ventre et rampe doucement en direction de la voleuse. A mesure
20 *qu'il avancera en rampant, la voleuse reculera.*

Bien. Continuez.

LE JUGE *(à la voleuse)*.—Que tu me fasses ramper après mon être de juge, coquine, tu as bien raison, mais si tu me le refusais dé-finitivement, garce, ce serait criminel...

25 LA VOLEUSE *(hautaine)*.—Appelez-moi Madame et réclamez poliment.

LE JUGE.—J'aurai ce que je veux?

LA VOLEUSE *(coquette)*.—Ça coûte cher, de voler.

LE JUGE.—Je paierai! Je paierai ce qu'il faudra, Madame. Mais si je n'avais plus à départager le Bien d'avec le Mal, je servirais à
30 quoi, je vous le demande?

LA VOLEUSE.—Je me le demande.

LE JUGE *(est infiniment triste)*.—Tout à l'heure, j'allais être Minos.

Mon cerbère aboyait. *(Au bourreau:)* Tu te souviens?

Le bourreau interrompt le juge en faisant claquer son fouet.

Comme tu étais cruel, méchant! Bon! Et moi, impitoyable. J'allais emplir les Enfers de damnés, emplir les prisons. Prisons! Prisons! Prisons, cachots, lieux bénits où le mal est impossible, puisqu'ils sont le carrefour de toute la malédiction du monde. On ne peut pas commettre le mal dans le mal. Or ce n'est pas condamner que je désire surtout, c'est juger... *(Il tente de se redresser.)*

LE BOURREAU.—Rampez! Et dépêchez-vous, il faut que j'aille m'habiller.

LE JUGE *(à la fille)*.—Madame! Madame, acceptez, je vous en prie. Je suis prêt à lécher avec ma langue vos souliers, mais dites-moi que vous êtes une voleuse...

LA VOLEUSE *(dans un cri)*.—Pas encore! Lèche! Lèche! Lèche d'abord![23]

La scène se déplace de gauche à droite, comme à la fin du tableau précédent, et s'enfonce dans la coulisse de droite. Au loin, crépitement de mitrailleuses.

[23] *The circular structure of this whole scene is reminiscent of* Huis clos, *and the infernal game played here could serve as an illustration of Sartre's famous dictum: "L'Enfer c'est les autres."*

TROISIEME TABLEAU

DECOR

Trois paravents disposés comme les précédents, mais vert sombre. Le même lustre. Le même miroir qui reflète le lit défait. Sur un fauteuil un cheval dont se servent les danseurs folkloriques avec une petite jupe plissée. Dans la 5 *pièce, un monsieur, l'air timide. C'est le général. Il a enlevé son veston, puis son chapeau melon*[1] *et ses gants. Irma est près de lui.*

LE GENERAL *(Il montre le chapeau, la veste et les gants).*—Qu'on ne laisse pas traîner ça.

10 IRMA.—On va le plier, l'envelopper...

LE GENERAL.—Qu'on le fasse disparaître.

IRMA.—On va le ranger. Et même le brûler.

LE GENERAL.—Oh oui, n'est-ce pas, j'aimerais qu'il brûle! Comme les villes au crépuscule.

15 IRMA.—Vous avez aperçu quelque chose en venant?

LE GENERAL.—J'ai couru des risques très graves. La populace a fait sauter des barrages, et des quartiers entiers sont inondés. L'arsenal en particulier, de sorte que toutes les poudres sont mouillées. Et les armes rouillées. J'ai dû faire des détours assez 20 grands—sans avoir toutefois buté contre un noyé.

IRMA.—Je ne me permettrais pas de vous demander vos opinions. Chacun est libre et je ne fais pas de politique.

LE GENERAL.—Parlons donc d'autre chose. Ce qui est important c'est: comment je quitterai cette maison. Il sera tard quand je sortirai...

25 IRMA.—A propos de tard...

[1] **chapeau melon** bowler hat; *very typical for someone in a minor clerical post*

LE GENERAL.—C'est juste. *(Il cherche dans sa poche, retire des billets de banque, les compte et en donne à Irma. Elle les garde à la main.)* Donc, quand je sortirai, je ne tiens pas à me faire dégringoler dans le noir. Car, naturellement, il n'y aura personne pour me raccompagner? 5

IRMA.—Je crois que non, hélas. Arthur n'est pas libre.

Un long silence.

LE GENERAL *(impatient soudain)*.—Mais... elle ne vient pas?

IRMA.—Je ne sais pas ce qu'elle fait? J'avais bien recommandé que tout soit prêt à votre arrivée. Il y a déjà le cheval... Je vais sonner. 10

LE GENERAL.—Laissez, je m'en charge. *(Il sonne.)* J'aime sonner! Ça, c'est autoritaire. Ah, sonner la charge![2]

IRMA.—Tout à l'heure, mon général. Oh, pardon, voici que je vous donne votre grade... Tout à l'heure vous allez...

LE GENERAL.—Chut! N'en parlez pas. 15

IRMA.—Vous avez une force, une jeunesse! une pétulance!

LE GENERAL.—Et des éperons: Aurai-je des éperons? J'avais dit qu'on les fixe à mes bottes. Des bottes acajou, n'est-ce pas?

IRMA.—Oui, mon général. Acajou. Et vernies.

LE GENERAL.—Vernies, soit, mais avec de la boue? 20

IRMA.—De la boue et, peut-être, un peu de sang. J'ai fait préparer les décorations.

LE GENERAL.—Authentiques?

IRMA.—Authentiques.

Soudain un long cri de femme. 25

LE GENERAL.—Qu'est-ce que c'est? *(Il veut s'approcher de la paroi de droite et déjà se baisse pour regarder, mais Irma intervient.)*

IRMA.—Rien. Il y a toujours des gestes inconsidérés, de part et d'autre.

[2] *This is a play on words.* **Sonner la charge** to sound the charge *for a cavalry attack*

LE GENERAL.—Mais ce cri? Un cri de femme. Un appel au secours peut-être? Mon sang qui bout ne fait qu'un tour... Je m'élance...

IRMA *(glaciale)*.—Pas d'histoires ici, calmez-vous. Pour le moment, vous êtes en civil.[3]

5 LE GENERAL.—C'est juste.

Nouveau cri de femme.

C'est tout de même troublant. En plus, ce sera gênant.

IRMA.—Mais que fait-elle?

Elle va pour sonner, mais par la porte du fond entre une
10 *jeune femme très belle, rousse, les cheveux dénoués, épars. Sa gorge est presque nue. Elle n'a qu'un corset noir, des bas noirs et des souliers à talons très hauts. Elle tient un uniforme complet de général, plus l'épée, le bicorne et les bottes.*

15 LE GENERAL *(sévère)*.—Vous voici tout de même? Avec une demi-heure de retard. C'est plus qu'il n'en faut pour perdre une bataille.

IRMA.—Elle se rachètera, mon général. Je la connais.

LE GENERAL *(regardant les bottes)*.—Et le sang? Je ne vois pas le sang?

20 IRMA.—Il a séché. N'oubliez pas que c'est le sang de vos batailles d'autrefois. Bon. Je vous laisse. Vous n'avez besoin de rien?

LE GENERAL *(regardant à droite et à gauche)*.—Vous oubliez...

IRMA.—Mon Dieu! J'oubliais, en effet.

Elle pose sur la chaise les serviettes qu'elle portait sur le
25 *bras. Puis elle sort par le fond. Le général va à la porte, puis il la ferme à clé. Mais à peine la porte est-elle fermée qu'on y entend frapper. La fille va ouvrir. Derrière, et légèrement en retrait, le bourreau, en sueur, s'essuyant avec une serviette.*

30 LE BOURREAU.—Madame Irma n'est pas là?

[3] **en civil** in civilian clothes, in mufti

La Fille *(sèche)*.—Dans la Roseraie. *(Se reprenant)* Pardon, dans la Chapelle Ardente.[4] *(Elle ferme la porte.)*

Le General *(agacé)*.—J'aurai la paix, j'espère. Et tu es en retard, qu'est-ce que tu foutais?[5] On ne t'avait pas donné ton sac d'avoine? Tu souris? Tu souris à ton cavalier? Tu reconnais sa main, douce et ferme? *(Il la flatte.)* Mon fier coursier! Ma belle jument, avec toi nous en avons gagné des galops! 5

La Fille.—Et ce n'est pas fini! Mes sabots bien ferrés,[6] de mes pattes nerveuses, je veux arpenter le monde. Retirez votre pantalon et vos souliers, que je vous habille. 10

Le General *(il a pris la badine)*.—Oui, mais d'abord, à genoux! A genoux! Allons, allons, plie tes jarrets, plie...

La fille se cabre, fait entendre un hennissement de plaisir et s'agenouille comme un cheval de cirque, devant le général.[7] 15

Bravo! Bravo, Colombe! Tu n'as rien oublié. Et maintenant, tu vas m'aider et répondre à mes questions. C'est tout à fait dans l'ordre qu'une bonne pouliche aide son maître à se déboutonner, à se déganter, et qu'elle lui réponde du tac au tac.[8] Donc, commence par dénouer mes lacets. 20

Pendant toute la scène qui va suivre, la fille va aider le général à se déshabiller, puis à s'habiller en général. Lorsque celui-ci sera complètement habillé, l'on s'apercevra qu'il a pris des proportions gigantesques, grâce à un truquage de théâtre: patins invisibles, épaules élargies, visage maquillé à l'extrême. 25

La Fille.—Toujours le pied gauche enflé?

[4] **Chapelle Ardente** Funeral Chapel. *This and the Rose Garden are obviously two other rooms for different sorts of perversion.*

[5] **Qu'est-ce que tu foutais?** What the hell were you doing?

[6] **sabots bien ferrés** well-shod hooves

[7] *In the New York production this girl was referred to as the "whorse," a pun in the spirit of the new theatre.*

[8] **elle ... au tac** she gives him tit for tat

LE GENERAL.—Oui. C'est le pied du départ.[9] C'est celui qui trépigne. Comme ton sabot quand tu encenses.[10]

LA FILLE.—Qu'est-ce que je fais? Déboutonnez-vous.

LE GENERAL.—Es-tu cheval ou illettrée?[11] Si tu es cheval, tu en-
5 censes. Aide-moi. Tire. Tire moins fort, voyons, tu n'es pas cheval de labour.

LA FILLE.—Je fais ce que je dois.

LE GENERAL.—Tu te révoltes? Déjà? Attends que je sois prêt. Quand je te passerai le mors dans la gueule...

10 LA FILLE.—Oh non, paş ça.

LE GENERAL.—Un général, se faire rappeler à l'ordre par son cheval! Tu auras le mors, la bride, le harnais, la sous-ventrière, et botté, casqué, je cravache et je fonce!

LA FILLE.—Le mors, c'est terrible. Ça fait saigner les gencives et la
15 commissure des lèvres. Je vais baver du sang.

LE GENERAL.—Ecumer rose et péter du feu! Mais quel galop! Parmi les champs de seigle, dans la luzerne, sur les prés, les chemins poudreux, sur les monts, couchés ou debout, de l'aurore au crépuscle et du crépuscule...

20 LA FILLE.—Rentrez la chemise.[12] Tirez les bretelles. Ce n'est pas rien d'habiller un général vainqueur et qu'on enterre. Vous voulez le sabre?

LE GENERAL.—Comme celui de Lafayette,[13] qu'il demeure sur la table. Bien en évidence, mais cache les vêtements. Où, je ne sais
25 pas, moi, il doit bien y avoir une cachette prévue quelque part?

La fille fait un paquet des vêtements et les cache derrière le fauteuil.

[9] **pied du départ** lead foot

[10] **tu encenses** you shake your head; *used only of horses*

[11] *illiterate because she does not know the meaning of* **encenser**

[12] *The humor of this whole scene lies in the constant interruptions of the poetic flights of fancy through practical admonitions.*

[13] *After his return from America, Lafayette played a leading role in the French Revolution. In 1792, as commander of the "Army of the Center," he could not bring himself to turn against the republican factions. Thus he put his sword on the table.*

La tunique? Bien. Il y a toutes les médailles? Compte.

LA FILLE *(après avoir compté, très vite)*.–Toutes, mon général.

LE GENERAL.–Et la guerre? Où est la guerre?

LA FILLE *(très douce)*.–Elle approche, mon général. C'est le soir sur un champ de pommiers. Le ciel est calme et rose. Une paix soudaine–la plainte des colombes–précédant les combats, baigne la terre. Il fait très doux. Une pomme est tombée dans l'herbe. C'est une pomme de pin. Les choses retiennent leur souffle. La guerre est déclarée. Il fait bon... 5

LE GENERAL.–Mais soudain? 10

LA FILLE.–Nous sommes au bord du pré. Je me retiens de ruer, de hennir. Ta cuisse est tiède et tu presses mon flanc. La mort...

LE GENERAL.–Mais soudain?...

LA FILLE.–La mort est attentive. Un doigt sur sa bouche, c'est elle qui invite au silence. Une bonté ultime éclaire les choses. Toi-même tu n'es plus attentif à ma présence... 15

LE GENERAL.–Mais soudain?...

LA FILLE.–Boutonnez-vous tout seul, mon général. L'eau était immobile sur les étangs. Le vent lui-même attendait un ordre pour gonfler les drapeaux... 20

LE GENERAL.–Mais soudain?...

LA FILLE.–Soudain? Hein? Soudain? *(Elle semble chercher ses mots.)* Ah, oui, soudain, ce fut le fer et le feu! Les veuves! Il fallut tisser des kilomètres de crêpe pour le mettre aux étendards. Sous leurs voiles, les mères et les épouses gardaient les yeux secs. Les cloches dégringolaient des clochers bombardés. Au détour d'une rue, un linge bleu m'effraya: Je me cabrai, mais domptée par ta douce et lourde main, mon tremblement cessa. Je repris l'amble. Comme je t'aimais, mon héros! 25

LE GENERAL.–Mais... les morts? N'y avait-il pas de morts? 30

LA FILLE.–Les soldats mouraient en baisant l'étendard. Tu n'étais que victoires et bontés. Un soir, rappelle-toi...

LE GENERAL.–J'étais si doux, que je me mis à neiger.[14] A neiger sur

[14] *In his delirium the General confuses himself with nature.*

mes hommes, à les ensevelir sous le plus tendre des linceuls. A neiger. Bérézina![15]

LA FILLE.—Les éclats d'obus avaient coupé les citrons. Enfin, la mort était active. Agile, elle allait de l'un à l'autre, creusant une plaie, 5 éteignant un œil, arrachant un bras, ouvrant une artère, plombant un visage, coupant net un cri, un chant, la mort n'en pouvait plus. Enfin, épuisée, elle-même morte de fatigue, elle s'assoupit, légère sur tes épaules. Elle s'y est endormie.[16]

LE GENERAL *(ivre de joie).*—Arrête, arrête, ce n'est pas encore le mo- 10 ment mais je sens que ce sera magnifique. Le baudrier? Parfait! *(Il se regarde dans la glace.)* Wagram![17] Général! Homme de guerre et de parade,[18] me voici dans ma pure apparence. Rien, je ne traîne derrière moi aucun contingent. Simplement, j'apparais. Si j'ai traversé des guerres sans mourir, traversé les 15 misères, sans mourir, si j'ai monté les grades, sans mourir, c'était pour cette minute proche de la mort. *(Tout à coup il s'arrête, une idée semble l'inquiéter.)* Dis-moi, Colombe?

LA FILLE.—Oui, monsieur?

LE GENERAL.—Le Préfet de Police, où en est-il?

20 *La fille fait avec la tête le signe non.*

Rien? Toujours rien? En somme, tout lui pète entre les mains. Et nous, nous perdons notre temps?

LA FILLE *(impérieuse).*—Pas du tout. Et de toutes façons ça ne nous regarde pas. Continuez. Vous disiez: pour cette minute proche 25 de la mort... ensuite?

LE GENERAL *(hésitant).*—... proche de la mort... où je ne serai rien, mais reflétée à l'infini dans ces miroirs, que mon image... Tu as raison, peigne ta crinière. Etrille-toi. J'exige une pouliche bien habillée. Donc, tout à l'heure, à l'appel des trompettes, nous 30 allons descendre—moi te chevauchant—vers la gloire et la mort,

[15] *a river in Russia, the site of one of Napoleon's most important battles*

[16] *a hallucinating evocation of the spirit of war, moving as it does from a tone of tenderness to horror and back to calm*

[17] *the site of one of Napoleon's most significant victories*

[18] **de parade** for show. *This leads the General to the idea of pure appearance.*

car je vais mourir. C'est bien d'une descente au tombeau qu'il s'agit...

LA FILLE.—Mais mon général, vous êtes mort depuis hier.

LE GENERAL.—Je sais... mais d'une descente solennelle, et pittoresque, par d'inattendus escaliers... 5

LA FILLE.—Vous êtes un général mort, mais éloquent.

LE GENERAL.—Parce que mort, cheval bavard. Ce qui parle, et d'une voix si belle, c'est l'Exemple. Je ne suis plus que l'image de celui que je fus. A toi, maintenant. Tu vas baisser la tête et te cacher les yeux, car je veux être général dans la solitude. Pas même 10 pour moi, mais pour mon image, et mon image pour son image, et ainsi de suite.[19] Bref, nous serons entre égaux. Colombe, tu es prête?

La fille hoche la tête.

Alors, viens. Passe ta robe baie, cheval, mon beau genet d'Es- 15 pagne.[20] *(Le général lui passe le cheval de jeu par dessus la tête. Puis il fait claquer sa cravache.)* Salut! *(Il salue son image dans le miroir.)* Adieu, mon général!

Puis il s'allonge dans le fauteuil, les pieds posés sur la chaise, et salue le public, en se tenant aussi rigide qu'un 20 *cadavre. La fille se place devant la chaise et, sur place, esquisse les mouvements d'un cheval en marche.*

LA FILLE *(solennelle et triste)*.—Le défilé est commencé... Nous traversons la ville... Nous longeons le fleuve. Je suis triste... Le ciel est bas. Le peuple pleure un si beau héros mort à la guerre... 25

LE GENERAL *(sursautant)*.—Colombe!

LA FILLE *(se détournant, en pleurs)*.—Mon général?

LE GENERAL.—Ajoute que je suis mort debout! *(Puis il reprend sa pose.)*

LA FILLE.—Mon héros est mort debout! Le défilé continue. Tes offi- 30

[19] *The General goes much further in his quest for absolute purity, hoping, as he does, to lose his reality in the infinite regress of the self-reflecting images.*
[20] **genet d'Espagne** jennet; *a type of Spanish horse*

ciers d'ordonnance[21] me précèdent... Puis me voici, moi, Colombe, ton cheval de bataille... La musique militaire joue une marche funèbre...

La fille chante—en marchant immobile—la Marche funèbre
5 *de Chopin,*[22] *qu'un orchestre invisible avec cuivres, continue. Au loin, crépitement de mitrailleuse.*

[21] **officiers d'ordonnance** aides-de-camp

[22] *Perhaps Genet picked the overplayed Funeral March of Chopin in order to heighten the whole parody.*

QUATRIEME TABLEAU

DECOR

C'est une chambre dont les trois panneaux visibles sont trois miroirs où se reflète un petit vieux vêtu en clochard, mais bien peigné, immobile au milieu de la pièce.

Près de lui, indifférente, une très belle fille rousse. Corselet de cuir, bottes de cuir. Cuisses nues, et belles. Veste de fourrure. Elle attend. Le petit vieux aussi. Il est impatient, nerveux. La fille immobile. 5

Le petit vieux enlève ses gants troués en tremblant. Il retire de sa poche un mouchoir blanc et s'éponge. Il enlève ses lunettes. Il les plie et les met dans un étui, puis l'étui dans sa poche. 10

Il s'essuie les mains avec son mouchoir.

Tous les gestes du petit vieux se reflètent dans les trois miroirs. (Il faut donc trois acteurs tenant les rôles de reflets.) 15

Enfin, trois coups sont frappés à la porte du fond.

La fille rousse s'en approche. Elle dit: «Oui».

La porte s'ouvre un peu et par l'entre-bâillement passent la main, et le bras d'Irma, qui tient un martinet et une perruque très sale, hirsute. 20

La fille les prend. La porte se referme.

Le visage du petit vieux s'illumine.

La fille rousse a un air exagérément altier et cruel. Elle lui colle la perruque sur la tête, brutalement.

Le petit vieux sort de sa poche un petit bouquet de fleurs artificielles. Il le tient comme s'il allait l'offrir à la fille qui le cravache et le lui arrache d'un coup de martinet. 25

Le visage du petit vieux est illuminé de douceur.

Tout près, un crépitement de mitrailleuse.

Le petit vieux touche sa perruque:

LE VIEUX.—Et les poux?

5 LA FILLE *(très vache[1]).*—Y en a.[2]

[1] **vache** nastily

[2] **y en a** they're there. *This whole scene is often omitted on the stage. And yet it forms a striking contrast to that which has gone before through its brevity, brutality, and apparent lack of metaphysical implications.*

CINQUIEME TABLEAU

DECOR

La chambre d'Irma. Très élégante. C'est la chambre même qu'on voyait reflétée dans les miroirs aux trois premiers tableaux. Le même lustre. Grandes guipures tombant des cintres. Trois fauteuils.

Grande baie à gauche, près de laquelle se trouve un appareil à l'aide duquel Irma peut voir ce qui se passe dans ses salons. 5

Porte à droite. Porte à gauche.

Elle fait ses comptes, assise à sa coiffeuse.

Près d'elle une fille: Carmen. 10

Un crépitement de mitrailleuse.

CARMEN *(comptant).*—Deux mille de l'évêque... deux mille du juge... *(Elle relève la tête.)* Non madame, toujours rien. Pas de préfet de Police.

IRMA *(agacée).*—Il va nous arriver, s'il arrive... dans une de ces colères! Et pourtant... 15

CARMEN.—Je sais: il faut de tout pour faire un monde. Mais pas de chef de la Police. *(Elle recompte.)* Deux mille du général... deux du matelot... trois du morveux...[1]

IRMA.—Je vous l'ai dit, Carmen, je n'aime pas ça. J'exige le respect des visiteurs. Vi-si-teurs! Je ne me permets même pas, moi, *(elle appuie sur ce mot)* même pas de dire les clients. Et pourtant... *(Elle fait claquer d'une façon poisse[2] les billets de mille neufs, qu'elle tient dans sa main.)* 20

[1] **morveux** brat. *Actually* **morveux** *means* snotty.
[2] **poisse** flashy

CARMEN *(dure. Elle s'est retournée et fixe Irma).*—Pour vous oui: le fric[3] et les raffinements!

IRMA *(elle se veut conciliante).*—Ces yeux! Sois pas injuste. Depuis quelque temps tu es irritable. Je sais que les événements nous 5 mettent les nerfs à bout,[4] mais ça va se calmer. Le beau[5] va se lever. Monsieur Georges...

CARMEN *(même ton que tout à l'heure).*—Ah, celui-là!

IRMA.—Ne dis rien contre le chef de la Police. Sans lui nous serions dans de beaux draps.[6] Oui, nous, car tu es liée à moi. Et à lui. 10 *(Long silence.)* C'est surtout ta tristesse qui m'inquiète. *(Docte.[7])* Tu es changée, Carmen. Et dès avant les débuts de la révolte...

CARMEN.—Je n'ai plus grand'chose à faire chez vous, madame Irma.

IRMA *(déconcertée).*—Mais... Je t'ai confié ma comptabilité. Tu t'installes à mon bureau, et soudain, ma vie tout entière s'ouvre 15 devant toi. Je n'ai plus de secret, et tu n'es pas heureuse?

CARMEN.—Naturellement, je vous remercie de votre confiance, mais... ce n'est pas la même chose.

IRMA.—«Ça»[8] te manque?

Silence de Carmen.

20 Voyons, Carmen, quand tu montais sur le rocher couvert de neige et d'un rosier fleuri en papier jaune—que je vais devoir remiser à la cave, du reste—et que le miraculé[9] s'évanouissait à ton apparition, tu ne te prenais pas au sérieux? Dis, Carmen?

Léger silence.

25 CARMEN.—Sorti de nos séances, vous ne permettez jamais qu'on en parle, madame Irma. Vous ne savez donc rien de nos vrais sentiments. Vous observez tout ça de loin, patronne, mais si une

[3] **fric** cash
[4] **mettent les nerfs à bout** put us on edge
[5] **beau** *refers to the* sun
[6] **nous serions ... draps** we'd be in a fine pickle
[7] **docte** learnedly *(ironic)*
[8] *the "roles" that she used to play in the brothel before she became Irma's assistant*
[9] **miraculé** someone who has been cured by a miracle

seule fois vous mettiez la robe et le voile bleu, ou si vous étiez la pénitente dégrafée, ou la jument du général, ou la paysanne culbutée dans la paille...

IRMA *(choquée)*.—Moi!

CARMEN.—Ou la soubrette en tablier rose, ou l'archiduchesse dépucelée par le gendarme, ou... enfin, je ne vais pas vous énumérer la nomenclature, vous sauriez ce que cela laisse dans l'âme, et qu'il faut bien qu'on s'en défasse avec un peu d'ironie. Mais vous ne voulez même pas qu'on en parle entre nous. Vous avez peur d'un sourire, d'une blague. 5 10

IRMA *(très sévère)*.—Je n'accorde pas qu'on blague, en effet. Un éclat de rire, ou même un sourire fout tout par terre.[10] S'il y a sourire, il y a doute. Les clients veulent des cérémonies graves. Avec soupirs. Ma maison est un lieu sévère. Je vous permets le jeu de cartes. 15

CARMEN.—Ne vous étonnez pas de notre tristesse. *(Un temps.)* Enfin, je songe à ma fille.

Irma se lève, car on a entendu une sonnerie, et va à ce curieux meuble placé à gauche, espèce de combiné muni d'un viseur, d'un écouteur, et d'un grand nombre de manettes. Tout en parlant, elle regarde, l'œil au viseur, après avoir abaissé une manette. 20

IRMA.—Chaque fois que je te pose une question un peu intime, ton visage se boucle, et tu m'expédies ta fille en pleine gueule.[11] Tu tiens toujours à aller la voir? Mais idiote, entre la maison et la campagne de ta nourrice il y a le feu, l'eau, la révolte et le fer. Je me demande même si... 25

Nouvelle sonnerie. Madame Irma relève la manette et en abat une autre...

...si Monsieur Georges ne s'est pas fait descendre[12] en route. Quoiqu'un chef de la Police sache se protéger. *(Elle regarde l'heure à une montre tirée de son corsage.)* Il est en retard. *(Elle paraît inquiète.)* Ou bien il n'a pas osé sortir. 30

[10] **fout tout par terre** spoils everything to hell
[11] **ton visage ... gueule** you clam up and throw your daughter up at me
[12] **ne ... descendre** hasn't been shot down

CARMEN.—Pour arriver dans vos salons, ces Messieurs traversent la mitraille sans crainte, moi, pour voir ma fille...

IRMA.—Sans crainte? Avec une trouille[13] qui les excite. La narine béante, derrière le mur de feu et de fer ils reniflent l'orgie. Re-
5 prenons nos comptes, veux-tu?

CARMEN *(après un silence)*.—En tout, si je compte le matelot et les passes simples,[14] ça fait 32.000.

IRMA.—Plus on tue dans les faubourgs, plus les hommes se coulent dans mes salons.

10 CARMEN.—Les hommes?

IRMA *(après un silence)*.—Certains. Appelés par mes miroirs et mes lustres, toujours les mêmes. Pour les autres, l'héroïsme remplace la femme.

CARMEN *(amère)*. La femme?[15]

15 IRMA.—Comment vous nommerai-je, mes grandes, mes longues stériles?[16] Ils ne vous fécondent jamais, et pourtant... si vous n'étiez pas là?

CARMEN.—Vous avez vos fêtes, madame Irma.

IRMA.—Tais-toi. Ma tristesse, ma mélancolie viennent de ce jeu gla-
20 cial. Heureusement j'ai mes bijoux. Bien en danger, d'ailleurs. *(Rêveuse.)* J'ai mes fêtes... et toi, les orgies de ton cœur...

CARMEN.—N'arrangent pas les choses,[17] patronne. Ma fille m'aime.

IRMA.—Tu es la princesse lointaine qui vient la voir avec des jouets et des parfums.[18] Elle te place au Ciel. *(Riant aux éclats.)* Ah,
25 ça c'est trop fort,[19] enfin, pour quelqu'un, mon bordel, c'est-à-

[13] **une trouille** *(slang)* the jitters

[14] **les passes simples** the quickies

[15] *Carmen is not sure that they are really men and women, for some are impotent, the others sterile.*

[16] *Irma is referring to her girls. The sterile woman as a symbol of beauty is a recurrent theme in literature. One may compare this passage with Baudelaire's* "La Beauté" *or Mallarmé's much longer poem* Hérodiade.

[17] **n'arrangent pas les choses** don't help matters

[18] *Reality becomes as unreal as illusion. And even the very matter of Carmen's "reality" has an aura of fiction about it. The prostitute with an unwitting daughter in the country is a stock situation that Genet chose deliberately in order to make reality seem illusory.*

[19] **c'est trop fort** that's the limit

dire l'Enfer, est le Ciel! C'est le Ciel pour ta gosse! *(Elle rit.)* Plus tard, tu en feras une putain?[20]

CARMEN.—Madame Irma!

IRMA.—C'est juste. Je dois te laisser à ton bordel secret, ton claque précieux et rose, à ton boxon[21] sentimental... Tu me crois cruelle? A moi aussi cette révolte a détraqué les nerfs. Sans que tu t'en rendes compte, je passe par des périodes de peur, de panique... Il me semble que la révolte n'a pas pour but la prise du Palais Royal mais le saccage de mes salons. J'ai peur, Carmen. Pourtant j'ai tout essayé, même la prière. *(Elle sourit péniblement.)* Comme ton miraculé. Je te blesse?

CARMEN *(décidée)*.—Deux fois par semaine, le mardi et le vendredi, Immaculée-Conception de Lourdes,[22] j'ai dû apparaître à un comptable du Crédit Lyonnais.[23] Pour vous, c'était de l'argent dans la caisse et la justification du bordel, pour moi c'était...

IRMA *(étonnée)*. Tu as accepté. Tu n'en paraissais pas fâchée?

CARMEN.—J'étais heureuse.

IRMA.—Eh bien? Où est le mal?

CARMEN.—J'ai vu mon action sur mon comptable. J'ai vu ses transes, ses sueurs, j'ai entendu ses râles...

IRMA.—Assez. Il ne vient plus. Je me demande pourquoi, d'ailleurs? Le danger peut-être, ou sa femme au courant? *(Un temps.)* Ou il est mort. Occupe-toi de mes additions.

CARMEN.—Votre comptabilité ne remplacera jamais mon apparition. C'était devenu aussi vrai qu'à Lourdes. Maintenant tout en moi se tourne vers ma fille, madame Irma. Elle est dans un vrai jardin...

[20] **putain** *(slang)* whore

[21] *Both* **claque** *and* **boxon** *are crude expressions* for brothel. *Here the notion of the brothel is expanded: we all have our "balcony," our interior house of illusions.*

[22] *It is at Lourdes that the Virgin Mary appeared before the young girl Bernadette Soubirous and said, "I am the Immaculate Conception."*

[23] **Crédit Lyonnais** is a very respectable French bank.

IRMA.—Tu ne pourras pas aller la rejoindre et d'ici peu[24] le jardin sera dans ton cœur.[25]

CARMEN.—Taisez-vous!

IRMA *(inexorable)*.—La ville est pleine de cadavres. Tous les chemins sont coupés. La révolte gagne aussi les paysans. On se demande pourquoi d'ailleurs? La contagion? La révolte est une épidémie. Elle en a le caractère fatal et sacré. Quoiqu'il en soit, nous allons nous trouver de plus en plus isolés. Les révoltés en veulent au Clergé, à l'Armée, à la Magistrature, à moi, Irma, mère maquerelle et patronne de boxon.[26] Toi, tu seras tuée, éventrée, et ta fille adoptée par un vertueux rebelle. Et nous y passerons tous,[27] *(elle frissonne)*.

Soudain une sonnerie. Irma court à l'appareil, regarde et écoute comme tout à l'heure.

Salon 24, nommé salon des Sables. Qu'est-ce qui ne va pas? *(Elle regarde, attentive. Long silence.)*

CARMEN *(elle s'était assise à la coiffeuse d'Irma et reprenait les comptes. Sans lever la tête)*.—La Légion?

IRMA *(l'œil toujours collé au dispositif)*.—Oui. C'est le Légionnaire héroïque qui tombe dans les sables. Et Rachel lui a expédié une fléchette sur l'oreille,[28] l'idiote. Il risquait d'être défiguré. Quelle idée, aussi, de se faire viser comme par un Arabe et de mourir—si l'on peut dire!—au garde-à-vous sur un tas de sable? *(Un silence. Elle regarde attentivement.)* Ah, Rachel le soigne. Elle lui prépare un pansement et il a l'air heureux. *(Trés intéressée.)* Tiens, mais ça paraît lui plaire. J'ai l'impression qu'il voudrait modifier le scénario et qu'à partir d'aujourd'hui il va mourir à l'hôpital militaire, bordé par une infirmière... Nouvel uniforme à acheter. Toujours des frais. *(Soudain inquiète.)* Oh, mais ça ne me plaît pas. Pas du tout. Rachel m'inquiète de plus en plus. Qu'elle n'aille pas me jouer le même tour que Chantal,

[24] **d'ici peu** before long
[25] *because this reality will have ceased to exist*
[26] **mère ... boxon** mother bawd and madame of a brothel
[27] **nous y passerons tous** that's the way we'll all go
[28] **lui a ... l'oreille** hit him in the ear with a dart

surtout. *(Se retournant, à Carmen:)* A propos, pas de nouvelles de Chantal?

CARMEN.—Aucune.

IRMA *(reprend l'appareil).*—Et cet appareil qui marche mal! Qu'est-ce qu'il lui dit? Il explique... elle écoute... elle comprend. J'ai peur qu'il comprenne aussi. *(Nouvelle sonnerie. Elle appuie sur une autre manette et regarde.)* Fausse alerte. C'est le plombier qui s'en va. 5

CARMEN.—Lequel?

IRMA.—Le vrai. 10

CARMEN.—Lequel est le vrai?

IRMA.—Celui qui répare les robinets.

CARMEN.—L'autre est faux?[29]

IRMA *(Elle hausse les épaules. Elle appuie sur la première manette).*—Ah, c'est bien ce que je disais: les trois ou quatre gouttes de sang de son oreille l'ont inspiré. Maintenant, il se fait dorloter. Demain matin il sera d'aplomb[30] pour aller à son ambassade. 15

CARMEN.—Il est marié, n'est-ce pas?

IRMA.—En principe je n'aime pas parler de la vie privée de mes visiteurs. Dans le monde entier, on connaît le Grand Balcon. C'est la plus savante, mais la plus honnête maison d'illusions... 20

CARMEN.—Honnête?

IRMA.—Discrète. Mais autant parler franc avec toi, indiscrète: ils sont presque tous mariés.

Un silence. 25

CARMEN *(pensive).*—Lorsqu'ils sont avec leurs femmes, dans leur amour pour elles, gardent-ils leur fête, très réduite, minuscule, dans un bordel...

IRMA *(la rappelant à l'ordre).*—Carmen!

[29] *The lack of distinction between reality and illusion is again emphasized, this time in a comic vein.*

[30] **il sera d'aplomb** he'll be in great shape

CARMEN.—Excusez-moi, madame... dans une maison d'illusions. Je disais: gardent-ils leur fête dans une maison d'illusions, minuscule, loin, loin au fond de leur tête, mais présente?

IRMA.—C'est possible, mon petit. Elle doit y être. Comme un lampion
5 restant d'un 14 juillet,[31] attendant l'autre, ou, si tu veux comme une lumière imperceptible à la fenêtre imperceptible d'un imperceptible château qu'ils peuvent en un éclair agrandir pour venir s'y reposer.[32]

Crépitement de mitrailleuse.

10 Tu les entends? Ils approchent. Ils cherchent à m'abattre.

CARMEN *(continuant sa pensée)*.—Pourtant il doit faire bon dans une vraie maison?

IRMA *(toujours plus effrayée)*.—Ils vont réussir à cerner le boxon[33] avant l'arrivée de monsieur Georges... Un fait est à retenir—si on
15 en réchappe—c'est que les murs ne sont pas suffisamment capitonnés, les fenêtres mal calfeutrées... On entend tout ce qui se passe dans la rue. Dans la rue on doit donc entendre ce qui se passe dans la maison...

CARMEN *(toujours pensive)*.—Dans une vraie maison, il doit faire
20 bon...

IRMA.—Va savoir. Mais Carmen, mais si mes filles se mêlent d'avoir de pareilles idées, mais c'est la ruine du bordel. Je crois, en effet, que ton apparition te manque. Ecoute, je peux faire quelque chose pour toi. Je l'avais promis à Régine, mais je te l'offre. Si
25 tu veux, naturellement. Hier, on m'a réclamé, par téléphone, une Sainte Thérèse...[34] *(Silence.)* Ah évidemment, de l'Immaculée-Conception à sainte Thérèse, c'est une dégringolade,[35] mais ce n'est pas mal non plus... *(Silence.)* Tu ne dis rien? C'est pour un banquier. Très propre, tu sais. Pas exigeant. Je te l'offre.
30 Si les révoltés sont écrasés, naturellement.

CARMEN.—J'aimais ma robe, mon voile et mon rosier.

[31] *Bastille Day, a French national holiday*
[32] *a definition of the function of illusion in everyday life*
[33] **boxon** *(slang)* brothel
[34] *probably Theresa of Lisieux, a very popular saint*
[35] **une dégringolade** quite a come down; *i.e. from the Virgin Mary to a mere saint*

IRMA.—Dans «le Sainte Thérèse» aussi il y a un rosier. Réfléchis.

Silence.

CARMEN.—Et ce sera quoi, le détail authentique?

IRMA.—L'anneau. Car il a tout prévu. L'anneau de mariage. Tu sais qu'épouse de Dieu, chaque religieuse porte une alliance. 5

Geste d'étonnement de Carmen.

Oui. C'est à cela qu'il saura qu'il a affaire à une vraie religieuse.

CARMEN.—Et le détail faux?

IRMA.—C'est presque toujours le même: dentelles noires sous la jupe de bure. Alors, tu acceptes? Tu as la douceur qu'il aime, il sera 10 content.

CARMEN.—Vous êtes vraiment bonne de penser à lui.

IRMA.—Je pense à toi.

CARMEN.—Que vous êtes bonne, je le disais sans ironie, madame Irma. Votre maison a pour elle d'apporter la consolation. Vous 15 montez et préparez leurs théâtres clandestins... Vous êtes sur terre. La preuve, c'est que vous empochez.[36] Eux... leur réveil doit être brutal. A peine fini, il faut tout recommencer.

IRMA.—Heureusement pour moi.

CARMEN.—...Tout recommencer, et toujours la même aventure. Dont 20 ils voudraient ne jamais sortir.

IRMA.—Tu n'y comprends rien. Je le vois à leurs yeux: après ils ont l'esprit clair. Tout à coup, ils comprennent les mathématiques. Ils aiment leurs enfants et leur patrie. Comme toi.

CARMEN *(se rengorgeant)*.—Fille d'officier supérieur... 25

IRMA.—Je sais. Il en faut toujours une au bordel. Mais dis-toi que Général, Evêque et Juge sont dans la vie...

CARMEN.—Desquels parlez-vous?

IRMA.—Des vrais.

CARMEN.—Lesquels sont vrais? Ceux de chez nous? 30

[36] **vous empochez** you rake in money

IRMA.—Les autres. Ils sont dans la vie supports d'une parade qu'ils doivent traîner dans la boue du réel et du quotidien. Ici la Comédie, l'Apparence se gardent pures, la Fête intacte.

CARMEN.—Les fêtes que je m'offre...

5 IRMA *(l'interrompant).*—Je les connais: c'est l'oubli des leurs.

CARMEN.—Vous me le reprochez?

IRMA.—Les leurs sont l'oubli des tiennes. Ils aiment aussi leurs enfants. Après.

Nouvelle sonnerie, comme les précédentes. Irma, qui était
10 *toujours assise près de l'appareil se retourne, colle son œil au viseur et approche l'écouteur de son oreille. Carmen se remet à ses comptes.*

CARMEN *(sans lever la tête).*—Monsieur le chef de la Police?

IRMA *(décrivant la scène).*—Non. Le garçon de restaurant qui vient
15 d'arriver. Il va encore rouspéter... ça y est, il se met en colère parce qu'Elyane lui présente un tablier blanc.

CARMEN.—Je vous avais prévenue, il le veut rose.

IRMA.—Tu iras au bazar demain, s'il est ouvert. Tu achèteras aussi un plumeau pour l'employé de la S. N. C. F.[37] Un plumeau vert.

20 CARMEN.—Pourvu qu'Elyane n'oublie pas de laisser tomber le pourboire par terre. Il exige une vraie révolte. Et des verres sales.

IRMA.—Ils veulent tous que tout soit le plus vrai possible... Moins quelque chose d'indéfinissable, qui fera que ce n'est pas vrai. *(Avec changement de ton)* Carmen, c'est moi qui ai décidé de
25 nommer mon établissement une maison d'illusions, mais je n'en suis que la directrice, et chacun, quand il sonne, entre, y apporte son scénario parfaitement réglé. Il me reste à louer la salle et à fournir les accessoires, les acteurs et les actrices. Ma fille, j'ai réussi à la détacher de terre—tu vois ce que je veux
30 dire? Je lui ai donné depuis longtemps le coup d'envoi et elle vole. J'ai coupé les amarres. Elle vole. Ou si tu veux elle vogue dans le ciel où elle m'emporte avec elle, eh bien, mon chéri... tu me permets quelques mots de tendresse—chaque dame de

[37] **Société Nationale des Chemins de fer** *French railroad company*

claque[38] a toujours, traditionnellement, un léger penchant pour l'une de ses demoiselles...

CARMEN.—Je m'en étais aperçue, madame. Et moi aussi, quelquefois... *(Elle regarde d'une façon languide madame Irma.)*

IRMA *(se lève et la regarde).*—Je suis troublée, Carmen. *(Long silence.)* Mais reprenons. Mon chéri, la maison décolle vraiment, quitte la terre, vogue au ciel quand je me nomme, dans le secret de mon cœur, mais avec une grande précision, une tenancière de boxon. Chérie quand, secrètement, dans le silence je me répète en silence: «Tu es une mère maquerelle, une patronne de claque et de bouic,[39] chérie, tout *(soudain lyrique)* tout s'envole: lustres, miroirs, tapis, pianos, cariatides[40] et mes salons, mes célèbres salons: le salon dit des Foins, tendu de scènes rustiques, le salon des tortures, éclaboussé de sang et de larmes, le salon salle du Trône drapé de velours fleurdelysé,[41] le salon des Miroirs, le salon d'Apparat, le salon des Jets d'eaux parfumées, le salon urinoir, le salon d'Amphitrite,[42] le salon Claire de Lune, tout s'envole: salons.—Ah! j'oubliais le salon des mendiants, des clochards, où la crasse et la misère sont magnifiées. Je reprends: salons, filles... *(Elle se ravise.)* Ah! j'oubliais: le plus beau de tous, parure définitive, couronne de l'édifice—si sa construction est un jour achevée—je parle du salon funéraire orné d'urnes de marbre, mon salon de la Mort Solennelle, le Tombeau! Le salon mausolée... Je reprends: salons, filles, cristaux, dentelles, balcon, tout fout le camp,[43] s'élève et m'emporte!

Long silence. Les deux femmes sont immobiles, debout, l'une devant l'autre.

CARMEN.—Comme vous parlez bien.

IRMA *(modeste).*—J'ai poussé jusqu'au brevet.[44]

CARMEN.—Je l'avais compris. Mon père, le colonel d'artillerie...

38 **dame de claque** *(slang)* madame
39 *These obscenities become magic formulas.*
40 **cariatides** *a sort of statue of a man or a woman which supports the cornice*
41 **fleurdelysé** adorned with the fleur-de-lys *(the French royal emblem)*
42 *goddess of the sea. This room obviously has a marine setting.*
43 **fout le camp** takes a powder. *This colloquial, rather crude expression forms a striking contrast to Irma's mystic vision of elevation.*
44 **j'ai ... brevet** I got as far as high school

IRMA *(rectifiant avec sévérité).*—De cavalerie, ma chère.[45]

CARMEN.—Pardon. C'est juste. Le colonel de cavalerie voulait me faire donner de l'instruction. Hélas!... Vous, vous avez réussi. Autour de votre belle personne vous avez pu organiser un thé-
5 âtre fastueux, une fête dont les splendeurs vous enveloppent, vous dissimulant au monde. A votre putanisme[46] il fallait cet apparat. Et moi, je n'aurais que moi et je ne serais que moi-même? Non, madame. Aidée par le vice et la misère des hommes, moi aussi j'ai eu mon heure de gloire! D'ici, l'écouteur
10 à l'oreille et le viseur à l'œil, vous pouviez me voir dressée, à la fois souveraine et bonne, maternelle et si féminine, mon talon posé sur le serpent en carton[47] et les roses en papier rose, vous pouviez apercevoir aussi le comptable du Crédit Lyonnais à genoux devant moi, et s'évanouissant à mon apparition, hélas, il
15 vous tournait le dos, et vous ne pouviez connaître ni son regard d'extase, ni les battements affolés de mon cœur. Mon voile bleu, ma robe bleue, mon tablier bleu, mon œil bleu...

IRMA.—Tabac![48]

CARMEN.—Bleu, ce jour-là. J'étais pour lui la descente du Ciel en
20 personne jusqu'à son front. Devant la Madone que j'étais, un Espagnol[49] aurait pu prier et former des serments. Il me chantait, me confondant avec la couleur qu'il chérissait, et quand il m'emportait sur le lit, c'est dans le bleu qu'il pénétrait. Mais je n'aurai plus à apparaître.

25 IRMA.—Je t'ai proposé sainte Thérèse.

CARMEN.—Je ne suis pas préparée, madame Irma. Il faut savoir ce que le client va exiger? Est-ce que tout a été bien mis au point?

IRMA.—Chaque putain doit pouvoir—tu m'excuses? au point où nous en sommes, parlons entre hommes[50]—doit pouvoir affronter
30 n'importe quelle situation.

[45] *This mistake casts doubt on the reality of Carmen's past, which may well be a fiction.*

[46] **putanisme** whoredom

[47] *The serpent is the symbol of satan. This is one of the props Carmen used when she impersonated the Virgin Mary.*

[48] **tabac** hazel

[49] *Spaniards are reputed to be very devout Catholics.*

[50] **entre hommes** man to man

CARMEN.—Je suis une de vos putains, patronne, et une des meilleures, je m'en vante. Dans une soirée il m'arrive de faire...

IRMA.—Je connais tes performances. Mais quand tu t'exaltes à partir du mot putain, que tu te répètes et dont tu te pares comme d'un titre, ce n'est pas tout à fait comme lorsque j'utilise ce mot pour désigner une fonction. Mais tu as raison, mon chéri, d'exalter ton métier et d'en faire une gloire. Fais-le briller. Qu'il t'illumine, si tu n'as que lui. *(Tendre.)* Je ferai tout pour t'y aider... Tu n'es pas seulement le plus pur joyau de mes filles, tu es celle sur qui je dépose toute ma tendresse. Mais reste avec moi... Tu oserais me quitter quand tout craque[51] de partout? La mort—la vraie, définitive—est à ma porte, elle est sous mes fenêtres...

Crépitement de mitrailleuse.

Tu entends?

CARMEN.—L'Armée se bat avec courage.

IRMA.—Les révoltés avec un courage plus grand. Et nous sommes sous les murs de la cathédrale, à deux pas de l'archevêché, ma tête n'est pas mise à prix,[52] non, ce serait trop beau, mais on sait que j'offre à souper aux personnalités. Je suis donc visée. Et il n'y a pas d'hommes dans la maison.

CARMEN.—Monsieur Arthur est là.

IRMA.—Tu te fous de moi![53] Pas un homme, ça c'est mon accessoire. D'ailleurs dès sa séance terminée, je vais l'envoyer à la recherche de monsieur Georges.

CARMEN.—Supposons le pire....

IRMA.—Si les révoltés gagnent? Je suis perdue. Ce sont des ouvriers. Sans imagination. Prudes, et peut-être chastes.

CARMEN.—Ils s'habitueront vite à la débauche. Il suffit d'un peu d'ennui...

IRMA.—Tu te trompes. Ou alors ils ne se permettront pas l'ennui.

[51] **craque** is going to pieces
[52] **ma tête ... prix** a price has not been put on my head
[53] **Tu te fous de moi!** *(slang)* You're kidding me!

Mais c'est moi la plus exposée. Vous, c'est différent. Dans toute révolution, il y a la putain exaltée qui chante une *Marseillaise*[54] et se virginise. Tu seras celle-là? Les autres apporteront saintement à boire aux mourants. Après... ils vous marieront. Cela te plairait d'être mariée?

CARMEN.—Fleur d'oranger, tulle...[55]

IRMA.—Bravo. Mariée, pour toi veut dire déguisée. Ma chérie, tu es bien de notre monde. Non, moi non plus, je ne te suppose pas mariée. D'ailleurs, ils songent surtout à nous assassiner. Nous aurons donc une belle mort, Carmen. Elle sera terrible et somptueuse. Il est possible qu'on force mes salons, qu'on brise les cristaux, qu'on déchire les brocarts, et qu'on nous égorge...

CARMEN.—Ils auront pitié...

IRMA.—Non. Leur fureur s'exalte de se savoir sacrilège. Casqués, bottés, en casquette et débraillés, ils nous feront crever par le fer et par le feu. Ce sera très beau, nous ne devons pas désirer une autre fin, et toi tu songes à t'en aller...

CARMEN.—Mais madame Irma...

IRMA.—Quand la maison va flamber, quand la rose va être poignardée, toi, Carmen, tu ne songes qu'à t'enfuir.

CARMEN.—Si j'ai voulu m'absenter, vous savez bien pourquoi?

IRMA.—Ta fille est morte...

CARMEN.—Madame!

IRMA.—Morte ou vivante, ta fille est morte. Songe à la tombe, ornée de marguerites et de couronnes en perles, au fond d'un jardin... et ce jardin dans ton cœur, où tu pourras l'entretenir...

CARMEN.—J'aurais aimé la revoir...

IRMA.—Tu garderas son image dans l'image du jardin et le jardin dans ton cœur sous la robe enflammée de sainte Thérèse.[56] Et

[54] *the French national anthem*

[55] *The mere mention of marriage is sufficient to evoke in Carmen's mind the poetic symbols of a wedding, which for Irma are nothing but disguises.*

[56] *Irma proposes to Carmen an integration of the real (the daughter) into the illusory (the role of Saint Theresa).*

tu hésites? Je t'offre la plus splendide des morts, et tu hésites? Tu es lâche?

CARMEN.—Vous savez bien que je vous suis attachée.

IRMA.—Je t'enseignerai les chiffres! Les merveilleux chiffres que nous passerons des nuits, ensemble, à calligraphier. 5

CARMEN *(doucement)*.—La guerre fait rage. Vous l'avez dit, c'est la horde.

IRMA *(triomphante)*.—La horde! mais nous, nous avons nos cohortes, nos armées, nos milices, légions, bataillons, vaisseaux, hérauts, clairons, trompettes, nos couleurs, oriflammes,[57] étendards, 10 bannières... pour nous mener à la catastrophe! La mort? C'est la mort certaine, mais à quelle allure et avec quelle allure![58]... *(Mélancolique.)* A moins que Georges soit encore tout-puissant... Et surtout qu'il puisse traverser la horde et venir nous sauver. *(Un énorme soupir.)* Tu vas m'habiller. Mais avant je veux sur- 15 veiller Rachel.

Même sonnerie que tout à l'heure. Irma colle son œil au viseur.

Avec cet engin, je les vois et j'entends même leurs soupirs. *(Silence. Elle regarde.)* Le Christ sort avec son attirail. Je n'ai 20 jamais compris pourquoi il se fait attacher à la croix avec des cordes qu'il emporte dans une valise? C'est peut-être des cordes bénites? Arrivé chez lui, où les met-il? M'en fous.[59] Voyons Rachel. *(Elle appuie sur une autre manette.)* Ah, ils ont fini. Ils parlent. Ils rangent les fléchettes, l'arc, les bandes de gaze, le 25 képi blanc... Non, je n'aime pas du tout la façon dont ils se regardent: ils ont l'œil clair. *(Elle se tourne vers Carmen.)* Voilà les dangers de l'assiduité. Ce serait la ruine si mes clients échangeaient avec mes filles un sourire amical. Ce serait une catastrophe plus grande encore que si l'amour s'en mêlait. *(Elle* 30 *appuie machinalement sur la manette et pose l'écouteur. Pensive:)* Arthur doit avoir fini sa séance. Il va venir... Habille-moi.

[57] **oriflammes** *the colorful banners, with a design of flames of gold, which were carried into battle by the kings of France*

[58] **à quelle allure et avec quelle allure** at what a pace and with what grace

[59] **m'en fous** it's all one to me

CARMEN.—Qu'est-ce que vous mettrez?

IRMA.—Le déshabillé crème.

Carmen ouvre la porte d'un placard et en tire le déshabillé, tandis qu'Irma dégrafe son tailleur.

5 Dis-moi, ma Carmen, Chantal?...

CARMEN.—Madame?

IRMA.—Oui. Dis-moi, Chantal, qu'est-ce que tu sais d'elle?

CARMEN.—J'ai passé en revue toutes les filles: Rosine, Elyane, Florence, Marlyse. Elles ont préparé leur petit rapport. Je vais vous
10 le donner. Mais elles ne m'ont pas appris grand'chose. C'est avant, qu'on peut espionner. Pendant la bagarre, c'est plus difficile. D'abord, les camps sont plus précis, on peut choisir. En pleine paix, c'est trop vague. On ne sait pas au juste qui l'on trahit. Ni même si l'on trahit. Sur Chantal, plus rien. On ne
15 sait même pas si elle existe encore.

IRMA.—Mais, dis-moi, tu n'aurais pas de scrupules?

CARMEN.—Aucun. Entrer au bordel, c'est refuser le monde. J'y suis, j'y reste. Ma réalité, ce sont vos miroirs, vos ordres et les passions. Quels bijoux?

20 IRMA.—Les diam's.[60] Mes bijoux. Je n'ai que cela de vrai. Avec la certitude que tout le reste est toc,[61] j'ai mes bijoux, comme d'autres ont une fillette au jardin. Qui trahit? Tu hésites?

CARMEN.—Toutes ces dames se méfient de moi. J'enregistre leur petit rapport. Je vous le repasse, vous le repassez à la Police,
25 elle contrôle... Moi, je ne sais rien.

IRMA.—Tu es prudente. Donne-moi un mouchoir.

CARMEN *(apportant un mouchoir de dentelle)*.—Vue d'ici, où de toutes manières les hommes se déboutonnent, la vie me paraît si lointaine, si profonde, qu'elle a autant d'irréalité qu'un film
30 ou que la naissance du Christ dans la crèche. Quand un homme, dans la chambre s'oublie jusqu'à me dire: «On va prendre

[60] **diam's** *(slang)* sparklers
[61] **toc** *(slang)* phony

l'arsenal demain soir», j'ai l'impression de lire un graffiti[62] obscène. Son acte devient aussi fou, aussi... volumineux que ceux qu'on décrit d'une certaine façon sur certains murs...[63] Non, je ne suis pas prudente.

On frappe. Irma sursaute. Elle se précipite à son appareil qui, grâce à un mécanisme actionné depuis un bouton, rentre dans le mur, invisible. Pendant toute la scène avec Arthur, Carmen déshabille puis habille Irma, de façon que celle-ci soit prête juste à l'arrivée du Chef de la Police.

IRMA.—Entrez!

La porte s'ouvre. Entre le bourreau que, dorénavant, nous nommerons Arthur. Costume classique du maquereau:[64] *gris clair, feutre blanc, etc., il achève de nouer sa cravate. Irma l'examinant minutieusement.*

La séance est finie? Il a fait vite.

ARTHUR.—Oui. Le petit vieux se reboutonne. Il est à plat.[65] Deux séances en une demi-heure. Avec la fusillade dans les rues, je me demande s'il va arriver jusqu'à son hôtel? *(Il imite le Juge au second tableau.)* Minos te juge... Minos te pèse... Cerbère?... Ouha! Ouha! Ouha! *(Il montre les crocs et rit.)* Le Chef de la Police n'est pas arrivé?

IRMA.—Tu n'as pas trop cogné? La dernière fois la pauvre gosse est restée couchée[66] deux jours.

Carmen a apporté le déshabillé de dentelles, Irma est maintenant en chemise.

ARTHUR.—Ne joue pas à la bonne fille ni à la fausse garce. La dernière fois et ce soir elle a eu son compte: en fric et en coups.[67]

[62] **graffiti** inscription on a wall
[63] *That is to say, his act becomes as enormous as those described in the obscene pictures found on certain walls. The intrusion of reality into the world of illusion is as monstrous as an obscenity.*
[64] **maquereau** *(slang)* pimp
[65] **il est à plat** *(slang)* he's had it
[66] **est restée couchée** was laid up
[67] **elle a eu ... coups** she got what was coming to her, in dough and in blows

Recta-réglo.[68] Le banquier veut voir le dos zébré, je zèbre.

IRMA.—Tu n'y prends pas de plaisir, au moins?

ARTHUR.—Pas avec elle, je n'aime que toi. Et le travail, c'est le travail. Je le fais dans l'austérité.

5 IRMA *(autoritaire)*.—Je ne suis pas jalouse de cette fille, mais je n'aimerais pas que tu abîmes le personnel, de plus en plus difficile à renouveler.

ARTHUR.—Deux ou trois fois j'ai voulu lui dessiner des marques sur le dos avec de la peinture mauve, mais ça n'a pas marché. En
10 arrivant le vieux l'examine et il exige que je la livre saine.

IRMA.—De la peinture? Qui te l'avait permis? *(A Carmen.)* Les babouches, chérie?

ARTHUR *(haussant les épaules)*.—Une illusion de plus ou de moins! Je croyais bien faire. Mais rassure-toi, maintenant je fouette, je
15 flagelle, elle gueule,[69] et il rampe.

IRMA.—Quant à elle, tu vas lui ordonner de hurler plus bas, la maison est visée.

ARTHUR.—La radio vient d'annoncer que tous les quartiers Nord sont tombés cette nuit. Et le juge veut des cris. L'évêque est moins
20 dangereux. Il se contente de pardonner les péchés.

CARMEN.—Il exige d'abord qu'on les ait commis, si son bonheur est de pardonner. Non, le meilleur, c'est celui qu'on emmaillotte, qu'on fesse, qu'on fouette, qu'on berce et qui ronfle.

ARTHUR.—Qui le dorlote? *(A Carmen.)* Toi? Tu lui donnes le sein?

25 CARMEN *(sèchement)*.—Je fais bien mon métier. Et de toutes façons vous portez un costume, monsieur Arthur, qui ne vous permet pas de plaisanter. Le mac[70] a son rictus, jamais un sourire.[71]

IRMA.—Elle a raison.

ARTHUR.—Tu as fait combien, aujourd'hui?

[68] **recta-réglo** *(slang)* right and regular
[69] **elle gueule** *(slang)* she screams
[70] **mac** *(slang)* pimp
[71] *Even Arthur must play his role.*

IRMA *(sur la défensive)*.–Carmen et moi, nous n'avons pas fini les comptes.

ARTHUR.–Moi si. D'après mes calculs, ça va chercher dans[72] les 20.000.

IRMA.–C'est possible. De toutes façons, ne crains rien. Je ne triche pas. 5

ARTHUR.–Je te crois, mon amour, mais c'est plus fort que moi: les chiffres s'ordonnent dans ma tête. Vingt mille! La guerre, la révolte, la mitraille, le gel, la grêle, la pluie, la merde[73] en averse, rien ne les arrête! Au contraire. On se tue à côté, le 10 claque est visé: ils foncent tout de même. Moi, je t'ai à domicile, mon trésor, sinon...

IRMA *(nette)*.–La trouille te paralyserait dans une cave.

ARTHUR *(ambigu)*.–Je ferais comme les autres, mon amour. J'attendrais d'être sauvé par le Chef de la Police. Tu n'oublies pas mon 15 petit pourcentage?[74]

IRMA.–Je te donne de quoi te défendre.[75]

ARTHUR.–Mon amour! J'ai commandé mes chemises de soie. Et tu sais de quelle soie? Et de quelle couleur? Dans la soie mauve de tes corsages! 20

IRMA *(attendrie)*.–Voyons, finis. Pas devant Carmen.

ARTHUR.–Alors? C'est oui?

IRMA *(défaillante)*.–Oui.

ARTHUR.–Combien?

IRMA *(reprenant pied)*.–On verra. Je dois faire les comptes avec 25 Carmen. *(Câline.)* Ce sera le plus que je pourrai. Pour l'instant il faut absolument que tu ailles à la rencontre de Georges...

ARTHUR *(d'une insolente ironie)*.–Tu dis, bien-aimée?

IRMA *(sèche)*.–Que tu ailles à la rencontre de monsieur Georges.

[72] **ça va chercher dans** that'll come to about
[73] **merde** *(obscene)* excrement
[74] **mon petit pourcentage** my little cut (share)
[75] **de quoi te défendre** enough for you to get along on

Jusqu'à la Police s'il le faut et que tu le préviennes que je ne compte que sur lui.

ARTHUR *(légèrement inquiet).*—Tu blagues, j'espère?...

IRMA *(soudain très autoritaire).*—Le ton de ma dernière réplique
5 devrait te renseigner. Je ne joue plus. Ou plus le même rôle, si tu veux. Et toi tu n'as plus à jouer au mac tendre et méchant. Fais ce que je t'ordonne, mais avant prends le vaporisateur. *(A Carmen qui apporte l'objet.)* Donne-le lui. *(A Arthur.)* Et à genoux!

10 ARTHUR *(Il met un genou en terre et vaporise Irma).*—Dans la rue?... Tout seul?... Moi?...

IRMA *(debout devant lui).*—Il faut savoir ce que devient Georges. Je ne peux pas rester sans protection.

ARTHUR.—Je suis là...

15 IRMA *(haussant les épaules).*—Je dois défendre mes bijoux, mes salons et mes filles. Le Chef de la Police devrait être arrivé depuis une demi-heure...

ARTHUR *(lamentable).*—Moi dans la rue?... Mais la grêle... la mitraille... *(Il montre son costume.)* Je m'étais justement habillé pour
20 rester, pour me promener dans tes couloirs et pour me regarder dans les glaces. Et aussi pour que tu me voies habillé en mac... Je n'ai que la soie pour me protéger...[76]

IRMA *(à Carmen).*—Donne mes bracelets, Carmen. *(A Arthur.)* Et toi vaporise.

25 ARTHUR.—Je ne suis pas fait pour le dehors, il y a trop longtemps que je vis dans tes murs... Même ma peau ne pourrait pas supporter le grand air... encore si j'avais une voilette!... Suppose qu'on me reconnaisse?...

IRMA *(irritée et pivotant sur elle-même devant le vaporisateur).*—Rase
30 les murs. *(Un temps.)* Prends ce revolver.

ARTHUR *(effrayé).*—Sur moi?

[76] *He is only dressed to play his role of pimp; outside he will be exposed and vulnerable in his flimsy costume. Appearance provides little protection against the brutal reality of the revolution.*

IRMA.—Dans ta poche.

ARTHUR.—Ma poche! Imagine que je doive tirer?...

IRMA *(douce)*.—Te voilà gavé de qui tu es? Repu?[77]

ARTHUR.—Repu, oui... *(Un temps.)* Reposé, repu... mais si je sors dans la rue... 5

IRMA *(autoritaire, mais avec douceur)*.—Tu as raison. Pas de revolver. Mais enlève ton chapeau, va où je te dis, et reviens me renseigner. Ce soir tu as une séance. Tu es au courant? *(Il jette son feutre.)*

ARTHUR *(il se dirigeait vers la porte)*.—Une autre! Ce soir? Qu'est-ce que c'est? 10

IRMA.—Je croyais te l'avoir dit: un cadavre.

ARTHUR *(avec dégoût)*.—Qu'est-ce que j'en ferai?

IRMA.—Rien. Tu resteras immobile, et on t'ensevelira. Tu pourras te reposer. 15

ARTHUR.—Ah, parce que c'est moi qui...?[78] ah, bien. Très bien. Et le client? Un nouveau?

IRMA *(mystérieuse)*.—Très haut personnage, et ne m'interroge plus. Va.

ARTHUR *(Il va pour sortir, puis il hésite, et timide)*.—On ne m'embrasse pas? 20

IRMA.—Quand on reviendra. Si on revient.

Il sort, toujours à genoux. Mais déjà, la porte de droite s'ouvre et, sans qu'il ait frappé, entre le Chef de la Police. Lourde pelisse. Chapeau. Cigare. Carmen fait le geste de courir rappeler Arthur mais le Chef de la Police s'interpose. 25

LE CHEF DE LA POLICE.—Non, non, restez, Carmen. J'aime votre présence. Quant au gigolo, qu'il s'arrange pour me trouver.

[77] *Through his outburst of fear Arthur has wallowed in his own being, or in the role of his own being, and is now sated.*
[78] *At first Arthur had thought the customer would play the corpse.*

(Il garde son chapeau, son cigare et sa pelisse, mais s'incline devant Irma à qui il baise la main.)

IRMA *(oppressée)*.—Mettez votre main là. *(Sur son sein.)* Je suis toute remuée. Je bouge encore. Je vous savais en route, donc en
5 danger. Frissonnante, j'attendais... en me parfumant...

LE CHEF DE LA POLICE *(tout en se débarrassant de son chapeau, de ses gants, de sa pelisse et de son veston)*.—Passons.[79] Et ne jouons plus. La situation est de plus en plus grave—elle n'est pas désespérée, mais elle le devient—heu-reu-se-ment! Le châ-
10 teau royal est cerné. La reine se cache. La ville, que j'ai traversée comme par miracle, est à feu et à sang. La révolte y est tragique et joyeuse, contrairement à cette maison où tout s'écoule dans la mort lente. Donc, je joue ma chance aujourd'hui même. Cette nuit je serai dans la tombe ou sur le socle. Donc, que je
15 vous aime ou que je vous désire est sans importance. Ça marche en ce moment?

IRMA.—Merveilleusement. J'ai eu quelques grandes représentations.

LE CHEF DE LA POLICE *(impatient)*.—Quel genre?

IRMA.—Carmen a le génie de la description. Interroge-la.

20 LE CHEF DE LA POLICE *(à Carmen)*.—Raconte, Carmen. Toujours?...

CARMEN.—Toujours, oui monsieur. Toujours les piliers de l'Empire.

LE CHEF DE LA POLICE *(ironique)*.—Nos allégories, nos armes parlantes. Et puis, y a-t-il?...

CARMEN.—Comme chaque semaine, un thème nouveau.

25 *Geste de curiosité du Chef de la Police.*

Cette fois c'est le bébé giflé, fessé, bordé, qui pleure et qu'on berce.

LE CHEF DE LA POLICE *(impatient)*.—Bien. Mais...

CARMEN.—Il est charmant, monsieur. Et si triste!

30 LE CHEF DE LA POLICE *(irrité)*.—C'est tout?

CARMEN.—Et si joli quand on l'a démaillotté...

[79] **passons** let's skip it

LE CHEF DE LA POLICE *(de plus en plus furieux)*.—Tu te fous de moi,[80] Carmen? Je te demande si j'y suis?

CARMEN.—Si vous y êtes?

IRMA *(ironique, on ne sait à qui)*.—Vous n'y êtes pas.

LE CHEF DE LA POLICE.—Pas encore? *(A Carmen.)* Enfin, oui ou non, y a-t-il le simulacre? 5

CARMEN *(stupide)*.—Le simulacre?

LE CHEF DE LA POLICE.—Idiote! Oui! Le simulacre du Chef de la Police?

Silence très lourd. 10

IRMA.—Les temps ne sont pas arrivés. Mon cher, votre fonction n'a pas la noblesse suffisante pour proposer aux rêveurs une image qui les consolerait. Faute d'ancêtres illustres, peut-être? Non, cher ami... il faut en prendre votre parti: votre image n'accède pas encore aux liturgies du boxon. 15

LE CHEF DE LA POLICE.—Qui s'y fait représenter?

IRMA.—Tu les connais, puisque tu as tes fiches *(elle énumère sur ses doigts:)* il y a deux rois de France, avec cérémonies du sacre et rituels différents, un amiral sombrant à la poupe de son torpilleur, un dey d'Alger[81] capitulant, un pompier éteignant un 20 incendie, une chèvre attachée au piquet, une ménagère revenant du marché, un voleur à la tire,[82] un volé attaché et roué de coups,[83] un saint Sébastien,[84] un fermier dans sa grange... pas de chef de la police... ni d'administrateur des colonies, mais un missionnaire mourant sur la croix, et le Christ en personne. 25

LE CHEF DE LA POLICE *(après un silence)*.—Tu oublies le mécanicien.

IRMA.—Il ne vient plus. A force de serrer des écrous,[85] il risquait de construire une machine. Et qui eût marché. A l'usine![86]

[80] **tu te fous de moi** you're pulling my leg
[81] *Turkish title of the former heads of the government of Algiers before 1830*
[82] **voleur à la tire** pickpocket
[83] **roué de coups** beaten up
[84] *an early Christian martyr who survived being transpierced by arrows but was then flagellated to death*
[85] **à force ... écrous** what with tightening nuts
[86] **à l'usine** back to the factory with him

LE CHEF DE LA POLICE.—Ainsi, pas un de tes clients qui ait eu l'idée... l'idée lointaine, à peine indiquée...

IRMA.—Rien. Je sais que vous faites ce que vous pouvez: vous tentez la haine et l'amour: la gloire vous boude.[87]

5 LE CHEF DE LA POLICE *(avec force)*.—Mon image grandit de plus en plus, je t'assure. Elle devient colossale. Tout, autour de moi, me la répète et me la renvoie. Et tu ne l'as jamais vue représentée chez toi?

IRMA.—De toutes façons, elle y serait célébrée que je n'en verrais 10 rien. Les cérémonies sont secrètes.

LE CHEF DE LA POLICE.—Menteuse. Dans chaque cloison tu as dissimulé des judas.[88] Chaque mur, chaque miroir est truqué.[89] Ici on écoute les soupirs, là-bas l'écho des plaintes. Ce n'est pas moi qui t'apprendrai que les jeux du bordel sont d'abord jeux de 15 glaces... *(Très triste.)* Personne encore! Mais j'obligerai mon image à se détacher de moi, à pénétrer, à forcer tes salons, à se réfléchir, à se multiplier. Irma, ma fonction me pèse.[90] Ici, elle m'apparaîtra dans le soleil terrible du plaisir et de la mort. *(Rêveur)* De la mort...

20 IRMA.—Il faut tuer encore, mon cher Georges.

LE CHEF DE LA POLICE.—Je fais ce que je peux, je t'assure. On me redoute de plus en plus.

IRMA.—Pas assez. Il faut t'enfoncer dans la nuit, dans la merde et dans le sang. *(Soudain angoissée.)* Et tuer ce qui peut rester de 25 notre amour...

LE CHEF DE LA POLICE *(net)*.—Tout est mort.

IRMA.—C'est une belle victoire. Alors, il faut tuer autour de toi.

LE CHEF DE LA POLICE *(très irrité)*.—Je te répète que je fais ce que je peux. En même temps j'essaye de prouver à la Nation que je 30 suis un chef, un législateur, un bâtisseur...

[87] **la gloire vous boude** fame won't smile on you
[88] **judas** secret peepholes
[89] **truqué** fixed
[90] *A person whose role has not been played does not have an essence and therefore is crushed by the weight of his function.*

IRMA *(inquiète)*.—Tu divagues. Ou tu espères vraiment construire un Empire, et alors tu divagues.

LE CHEF DE LA POLICE *(avec conviction)*.—La révolte matée, et matée par moi, et moi porté par la Nation, appelé par la reine, rien ne saurait m'arrêter. C'est alors seulement que vous verrez qui je suis maintenant. *(Rêveur)* Oui ma chère, je veux construire un Empire... pour que l'Empire en échange me construise... 5

IRMA.—Un tombeau...

LE CHEF DE LA POLICE *(légèrement interdit)*.—Mais, après tout, pourquoi pas? Chaque conquérant n'a pas le sien? Alors? *(Exalté)* Alexandrie![91] J'aurai mon tombeau, Irma. Et toi, quand on posera la première pierre, tu seras à la meilleure place. 10

IRMA.—Je te remercie. *(A Carmen.)* Le thé, Carmen.

LE CHEF DE LA POLICE *(à Carmen qui allait sortir)*.—Une minute encore, Carmen. Que pensez-vous de cette idée? 15

CARMEN.—Que vous voulez confondre votre vie avec de longues funérailles, monsieur.

LE CHEF DE LA POLICE *(agressif)*.—La vie est autre chose? Vous avez l'air de tout savoir, renseignez-moi. Dans ce somptueux théâtre, où à chaque minute se joue un drame—comme dans le monde dit-on se célèbre une messe—qu'avez-vous observé? 20

CARMEN *(après une hésitation)*.—De très sérieux, et qui mérite d'être rapporté, une seule chose: privé des cuisses qu'il contenait, un pantalon sur sa chaise, c'est beau, monsieur. Vidés de nos petits vieux, nos ornements sont tristes à mourir.[92] Ce sont ceux que l'on pose sur le catafalque[93] des hauts dignitaires. Ils ne recouvrent que des cadavres qui n'en finissent pas de mourir, pourtant... 25

IRMA *(à Carmen)*.—Monsieur le Chef de la Police ne vous demande pas ça. 30

[91] *He dreams of the Egyptian pyramids, the most exalted of all tombs.*
[92] **tristes à mourir** deathly sad. *Without life (the empty trousers, the ornaments without the old people who wear them) the world is beautiful but tragic.*
[93] *A catafalque is the ornate structure above the bier of an important dignitary.*

LE CHEF DE LA POLICE.—Je me suis habitué aux discours de Carmen. *(A Carmen.)* Vous disiez, pourtant?...

CARMEN.—Pourtant, la joie dans leur œil, je ne me trompe pas, quand ils aperçoivent les oripeaux, c'est bien tout à coup l'éclat
5 de l'innocence...

LE CHEF DE LA POLICE.—On prétend que notre maison les expédie à la Mort.

Soudain une sonnerie. Irma sursaute. Un silence.

IRMA.—On a ouvert la porte. Qui peut encore venir à cette heure-ci?
10 *(A Carmen.)* Descendez, Carmen, et fermez la porte.

Carmen sort. Un assez long silence entre Irma et le Chef de la Police restés seuls.

LE CHEF DE LA POLICE.—Mon tombeau!

IRMA.—C'est moi qui ai sonné. Je voulais rester seule un moment
15 avec toi.

Un silence pendant lequel ils se regardent dans les yeux, gravement.

Dis-moi, Georges... *(Elle hésite.)* Tu tiens toujours à mener ce jeu? Non, non, ne t'impatiente pas. Tu n'es pas las?

20 LE CHEF DE LA POLICE.—Mais... Tout à l'heure je rentre chez moi...

IRMA.—Si tu peux. Si la révolte t'en laisse libre.

LE CHEF DE LA POLICE.—La révolte est un jeu. D'ici, tu ne peux rien voir de l'extérieur, mais chaque révolté joue. Et il aime son jeu.

IRMA.—Mais si, par exemple, ils se laissaient emporter hors du jeu?
25 Je veux dire, qu'ils s'y laissent prendre jusqu'à tout détruire et tout remplacer. Oui, oui, je sais, il y a toujours le détail faux qui leur rappelle qu'à un certain moment, à un certain endroit du drame, ils doivent s'arrêter, et même reculer... Mais si, emportés par la passion, ils ne reconnaissent plus rien et qu'ils sautent
30 sans s'en douter dans...

LE CHEF DE LA POLICE.—Tu veux dire dans la réalité? Et après? Qu'ils essayent. Je fais comme eux, je pénètre d'emblée dans la réalité que le jeu nous propose, et comme j'ai le beau rôle,[94] je les mâte.

IRMA.—Ils seront les plus forts.

LE CHEF DE LA POLICE.—Pourquoi dis-tu: «ils seront». Dans un de tes salons j'ai laissé les hommes de mon escorte, de sorte que je suis toujours en liaison avec mes services.[95] Et puis d'ailleurs, assez là-dessus. Tu es ou tu n'es pas la maîtresse d'une maison d'illusions? Bien. Si je viens chez toi, c'est pour me satisfaire dans tes miroirs et dans leurs jeux. *(Tendre.)* Rassure-toi. Tout se passera comme les autres fois.

IRMA.—Aujourd'hui, je ne sais pas pourquoi, je suis inquiète. Carmen me paraît étrange. Les révoltés, comment te dire, ont une espèce de gravité...

LE CHEF DE LA POLICE.—Leur rôle l'exige.

IRMA.—Non, non... de détermination. Ceux qui passent sous les fenêtres sont menaçants, mais ils ne chantent pas. La menace est dans leur œil.

LE CHEF DE LA POLICE.—Et alors? En supposant que cela soit, tu me prends pour un lâche? Tu penses que je dois renoncer.

IRMA *(pensive)*.—Non. D'ailleurs, je crois que c'est trop tard.

LE CHEF DE LA POLICE.—As-tu des informations?

IRMA.—Par Chantal, avant sa fuite. La centrale électrique[96] sera occupée vers trois heures du matin.

LE CHEF DE LA POLICE.—Tu es sûre? Par qui le sait-elle?

IRMA.—Par les partisans du quatrième secteur.

LE CHEF DE LA POLICE.—C'est plausible. Comment l'a-t-elle su?

IRMA.—C'est par elle qu'il y avait des fuites,[97] mais par elle seule. Ne va pas déprécier ma maison.

LE CHEF DE LA POLICE.—Ton claque, mon amour.

[94] **j'ai le beau rôle** I have the upper hand
[95] **je suis ... services** I'm always in touch with my units
[96] **centrale électrique** power works
[97] **fuites** leaks

IRMA.—Claque. Bouic. Boxon. Bordel. Foutoir. Bric.[98] J'admets tout. Donc Chantal est la seule qui soit de l'autre côté... Elle s'est enfuie. Mais avant, elle s'est confiée à Carmen, qui, elle, sait vivre.

5 LE CHEF DE LA POLICE.—Qui l'a mise au courant?

IRMA.—Roger. Le plombier. Tu l'imagines comment! Jeune, beau? Non. Quarante ans. Trapu. L'œil ironique et grave. Chantal lui a parlé. Je l'ai mis à la porte: trop tard. Il fait partie du réseau Andromède.[99]

10 LE CHEF DE LA POLICE.—Andromède? Bravo. La révolte s'exalte et s'exile d'ici-bas.[100] Si elle donne à ses secteurs des noms de constellation, elle va vite s'évaporer et se métamorphoser en chants. Souhaitons-les beaux.

IRMA.—Et si leurs chants donnent aux révoltés du courage? Et qu'ils
15 veuillent mourir pour eux?

LE CHEF DE LA POLICE.—La beauté de leurs chants les amollira. Malheureusement, ils n'en sont pas à ce stade, ni de la beauté, ni de la mollesse. En tous les cas les amours de Chantal furent providentielles.

20 IRMA.—Ne mêle pas Dieu...

LE CHEF DE LA POLICE.—Je suis franc-maçon.[101] Donc...

IRMA.—Toi? Tu ne me l'avais pas dit.

LE CHEF DE LA POLICE *(solennel)*.—Sublime Prince du Royal Secret![102]

[98] *all vulgar expressions for* brothel

[99] *mythological heroine, the wife of Perseus. She was exiled for having claimed to be the most beautiful woman. It is also the name of a constellation.*

[100] *It might be surprising that the crude Police Chief should catch this classical reference and then play on it so elegantly. This demonstrates clearly that Genet is not a naturalistic writer. Despite the many vulgar expressions, his style is not a realistic one. The language of all the characters, prostitutes, pimps, police, etc., is a highly stylized one, and even the crudest expressions are used to achieve a certain poetic effect.*

[101] **franc-maçon** Free Mason. *Since the Free Masons are rationalists, the Police Chief meant "providential" in a purely figurative sense.*

[102] *a rank in the Free Masons*

IRMA *(ironique).*—Toi frère Trois-Points![103] En petit tablier. Avec un petit maillet, une cagoule et un cierge! C'est drôle. *(Un temps.)* Toi aussi?

LE CHEF DE LA POLICE.—Pourquoi? Toi aussi?

IRMA *(bouffonnement solennelle).*—Gardienne de rites bien plus graves! *(Soudain triste.)* Puisqu'enfin j'en suis arrivée là. 5

LE CHEF DE LA POLICE.—Comme chaque fois, tu vas essayer de rappeler nos amours.

IRMA *(avec douceur).*—Non, pas nos amours, mais le temps que nous nous aimions. 10

LE CHEF DE LA POLICE.—Eh bien? Tu veux en faire l'historique et l'éloge? Tu penses que mes visites auraient moins de saveur si tu n'y mêlais pas le souvenir d'une innocence supposée?

IRMA.—C'est de tendresse qu'il s'agit. Ni les plus extravagantes combinaisons de mes clients, ni ma fortune, ni mes recherches pour enrichir mes salons de thèmes nouveaux, ni les tapis, ni les dorures, ni les cristaux, ni le froid n'empêchent qu'il n'y ait eu des moments où tu te blottissais dans mes bras, et que je m'en souvienne. 15

LE CHEF DE LA POLICE.—Ces moments, tu les regrettes? 20

IRMA *(avec tendresse).*—Je donnerais mon royaume pour le retour d'un seul d'entre eux! Et tu sais lequel. J'ai besoin d'une seule parole de vérité, comme lorsqu'on regarde ses rides le soir, ou quand on se rince la bouche...

LE CHEF DE LA POLICE.—C'est trop tard. *(Un temps.)* Et puis, nous ne pouvions pas, éternellement, nous blottir l'un dans l'autre. Enfin, tu ne sais pas vers quoi déjà secrètement, je me dirigeais, quand j'étais dans tes bras. 25

IRMA.—Je sais que moi je t'aimais...

LE CHEF DE LA POLICE.—C'est trop tard. Tu pourrais quitter Arthur? 30

IRMA *(Elle rit, nerveusement).*—C'est toi qui me l'as imposé. Tu as

[103] *The triangle (in opposition to the cross) is the symbol of Free Masonry. The following objects (the aprons, the mallet, etc.) are all part of the paraphernalia of Masonic rites.*

exigé qu'un homme soit installé ici—contre mon gré et contre mon avis—dans un domaine qui devait rester vierge... Imbécile, ne ris pas. Vierge. C'est-à-dire stérile. Mais tu voulais un pilier, un axe, un phallus présent, entier, dressé, debout. Il y est. Tu m'as imposé ce tas de viande congestionnée, cette communiante[104] aux bras de lutteur—si tu connais sa force à la foire,[105] tu ignores sa fragilité. Tu me l'as stupidement imposé parce que tu te sentais vieillir.

Le Chef de la Police.—Tais-toi.

Irma *(haussant les épaules)*.—Et tu te délassais ici par l'entremise d'Arthur. Je ne me fais pas d'illusions. C'est moi son homme et c'est sur moi qu'il compte mais j'ai besoin de cet oripeau musculeux, noueux et stupide, empêtré dans mes jupons. Si tu veux, il est mon corps, mais posé à côté de moi.

Le Chef de la Police *(ironique)*.—Et si j'étais jaloux?

Irma.—De cette grosse poupée qui se grime en bourreau pour assouvir un juge découpé dans du vent?[106] Tu te moques de moi, mais cela ne t'a pas toujours ennuyé que je t'apparaisse sous les apparences de ce corps magnifique... Je peux te redire...

Le Chef de la Police *(gifle Irma qui tombe sur le divan)*.—Et ne chiâle pas, ou je t'écrase la gueule,[107] et je fais flamber ta turne.[108] Je vous fais griller par les cheveux et les poils et je vous lâche. J'illumine la ville aux putains incendiées. *(Très doucement.)* Tu m'en crois capable?

Irma *(dans un souffle)*.—Oui, chéri.

Le Chef de la Police.—Alors, fais-moi les comptes. Défalque si tu veux le crêpe de Chine d'Apollon.[109] Et dépêche-toi, il faut que je rejoigne mon poste. Pour le moment je dois agir. Après... Après, tout ira tout seul. Mon nom agira à ma place. Donc, Arthur?

[104] **communiante** sissy
[105] **à la foire** at a fair, *where strong men display their strength*
[106] **découpé dans du vent** made of wind; *i.e. without any consistency*
[107] **et ne chiâle ... gueule** and don't bawl or I'll smack you in the kisser
[108] **turne** *(slang)* dump
[109] *the material that she needed for another role*

IRMA *(soumise)*.—Il sera mort ce soir.

LE CHEF DE LA POLICE.—Mort? Tu veux dire... vraiment... vraiment mort?

IRMA *(résignée)*.—Voyons, Georges, comme on meurt chez nous.[110]

LE CHEF DE LA POLICE.—Tiens? Et c'est? 5

IRMA.—Le ministre...

Elle est interrompue par la voix de Carmen.

VOIX DE CARMEN *(en coulisse)*.—Verrouillez le salon dix-sept! Elyane, dépêchez-vous! Et faites descendre le salon... Non, non, attendez... 10

On entend un bruit de roue dentée et rouillée, comme en font certains vieux ascenseurs. Elle entre.

CARMEN.—Madame, l'envoyé de la Reine est au salon...

La porte de gauche s'ouvre et paraît Arthur, tremblant, les vêtements déchirés. 15

ARTHUR *(apercevant le Chef de la Police)*.—Vous êtes là! Vous avez réussi à traverser?

IRMA *(se jetant dans ses bras)*.—Chéri! Qu'est-ce qui se passe? Tu es blessé?... Parle!...

ARTHUR *(haletant)*.—J'ai essayé d'aller jusqu'à la Police. Impossible. 20 Toute la ville est illuminée par les incendies. Les révoltés sont les maîtres un peu partout. Je ne crois pas que vous pourrez rentrer chez vous monsieur le Chef. J'ai réussi à atteindre le Palais-Royal, et j'ai vu le Grand Chambellan. Il m'a dit qu'il essaierait de venir. Il m'a serré la main, entre parenthèse.[111] Et 25 je suis reparti. Les femmes sont les plus exaltées. Elles encouragent au pillage et à la tuerie. Mais la plus terrible, c'est une fille qui chantait...

On entend un claquement sec. Une vitre de la fenêtre vole en éclats. Un miroir aussi, près du lit. 30

[110] *Because Arthur will play the role of a corpse for the minister.*
[111] **entre parenthèse** by the way. *This is an amusing touch. In the midst of death and disaster Arthur cannot refrain from expressing his childish pleasure at having shaken hands with a high official.*

Arthur tombe, frappé au front, d'une balle venue du dehors.

Carmen se penche sur lui, puis se relève.

Irma à son tour, se penche sur lui, lui caresse le front.

5 LE CHEF DE LA POLICE.—En somme je suis coincé[112] au bordel. C'est donc du bordel qu'il me faudra agir.

IRMA *(pour elle seule, penchée sur Arthur).*—Est-ce que tout foutrait le camp?[113] Tout me filerait entre les doigts?... *(amère)* Il me reste mes bijoux... mes diams... et peut-être pas pour longtemps...

10 CARMEN *(doucement).*—Si la maison doit sauter... Le costume de sainte Thérèse est dans la penderie, madame Irma?

IRMA *(se relevant).*—A gauche. Mais d'abord qu'on enlève Arthur. Je vais recevoir l'Envoyé.

112 **coincé** stuck
113 **Est-ce que ... camp?** Is everything really going to hell?

SIXIEME TABLEAU

DECOR

Le décor représente une place, avec de nombreux pans d'ombre. Au fond, assez loin, on devine la façade du Grand Balcon, persiennes closes. Chantal et Roger sont enlacés. Trois hommes semblent veiller sur eux. Costumes noirs. Chandails noirs. Ils tiennent des mitraillettes 5
dirigées vers le Grand Balcon.

CHANTAL *(doucement)*.—Garde-moi, si tu veux, mon amour, mais garde-moi dans ton cœur. Et attends-moi.

ROGER.—Je t'aime avec ton corps, avec tes cheveux, ta gorge, ton ventre, tes boyaux, tes humeurs, tes odeurs. Chantal, je t'aime 10
dans mon lit. Eux...

CHANTAL *(souriant)*.—Ils se fichent bien de moi! Mais moi, sans eux, je ne serais rien.

ROGER.—Tu es à moi. Je t'ai...

CHANTAL (agacée).—Je sais: tirée d'un tombeau.[1] Et à peine débar- 15
rassée de mes bandelettes, ingrate, je cours la gueuse. Je me donne à l'aventure[2] et je t'échappe. *(Soudain, tendrement ironique.)* Mais, Roger, mon amour, tu sais bien que je t'aime et que je n'aime que toi.

ROGER.—Tu viens de le dire, tu m'échappes. Dans ta course héroïque 20
et stupide, je ne peux pas te suivre.

CHANTAL.—Oh, oh! Tu es jaloux de qui, ou de quoi? On dit de moi

[1] *that is to say, the* **Grand Balcon**

[2] **je cours ... à l'aventure** I act like a tramp. I give myself haphazardly. *Here is a striking example of Genet's linguistic virtuosity. Words like* **bandelettes** *and* **ingrate** *are classical and associated with 17th-century French literature. In striking contrast to these elegant formulations is the very coarse phrase* **courir la gueuse.**

que je plane au-dessus de l'Insurrection, que j'en suis l'âme et la voix, et toi tu restes à terre. C'est ce qui te rend triste...

ROGER.—Chantal, je t'en prie, ne sois pas vulgaire. Si tu peux aider...

Un des hommes, s'approchant.

5 L'HOMME *(à Roger).*—Alors, c'est oui ou c'est non?

ROGER.—Et si elle y reste?

L'HOMME.—Je te la demande pour deux heures.

ROGER.—Chantal appartient...

CHANTAL.—A personne!

10 ROGER.—... A ma section.

L'HOMME.—A l'insurrection!

ROGER.—Si vous voulez une entraîneuse[3] d'hommes fabriquez-en.

L'HOMME.—On a cherché. Il n'y en a pas. On a essayé d'en fabriquer une: belle voix, belle poitrine, débraillé comme il faut: pas de 15 flammes dans les yeux, et tu sais, sans la flamme... On a demandé celles des quartiers Nord et celles du quartier de l'Ecluse: pas libres.

CHANTAL.—Une femme comme moi? Une autre? Je n'ai à ma disposition que mon visage de hibou, ma voix rauque: je les donne 20 ou les prête pour la haine. Je ne suis rien, que mon visage, ma voix, et au dedans de moi une adorable bonté empoisonnée. J'ai deux rivales populaires, d'autres pouilleuses?[4] Qu'elles y viennent, je leur fais mordre la poussière.[5] Je suis sans rivale.

ROGER *(explosant).*—Je l'ai arrachée—arrachée d'un tombeau. Déjà 25 elle m'échappe et grimpe au ciel, si on vous la prête...

L'HOMME.—On ne te demande pas ça. Si on l'emmène, on la loue.

CHANTAL *(amusée).*—Combien?

ROGER.—Même en la louant pour qu'elle aille chanter et entraîner

[3] **entraîneuse** *a bar girl whose duty it is to stimulate customers to drink; in this case, to stimulate men to fight*
[4] **pouilleuses** miserable sluts
[5] **je leur ... poussière** I'll make them eat dirt

votre faubourg, si elle claque,[6] nous perdons tout. Personne ne la remplacera.

L'Homme.—Elle avait accepté.

Roger.—Elle ne s'appartient plus. Elle est à nous. Elle est notre signe. Vos femmes ne vous servent qu'à arracher et porter des pierres ou recharger vos armes. Je sais que c'est utile, mais... 5

L'Homme.—Tu veux combien de femmes en échange?

Roger *(pensif)*.—C'est donc si précieux, une chanteuse sur les barricades?

L'Homme.—Combien? Dix femmes contre Chantal? *(Silence.)* Vingt? 10

Roger.—Vingt femmes? Vous seriez prêts à me payer Chantal vingt femmes diminuées, vingt bœufs, vingt têtes de bétail? C'est donc quelqu'un d'exceptionnel, Chantal? Et tu sais d'où elle sort?

Chantal *(à Roger, violente)*.—Chaque matin je rentre—car je flamboie la nuit—je rentre dans un taudis pour y dormir—chastement, 15 mon amour! et m'y écraser[7] de vin rouge. Et moi, avec ma voix râpeuse, ma colère feinte, mes yeux de camée, mon illumination peinte, mes cheveux andalous, je console et j'enchante les pouilleux. Ils vaincront, et c'est une drôle de chose que sera ma victoire. 20

Roger *(pensif)*.—Vingt femmes contre Chantal?

L'Homme *(net)*.—Cent.

Roger *(toujours pensif)*.—Et c'est par elle sans doute qu'on vaincra. Déjà elle incarne la Révolution...

L'Homme.—Cent. Tu es d'accord. 25

Roger.—Où l'emmènes-tu? Et qu'est-ce qu'elle devra faire?

Chantal.—On verra bien. Rassure-toi, j'ai mon étoile.[8] Pour le reste, je connais mon pouvoir. On m'aime, on m'écoute, on me suit.

Roger.—Que fera-t-elle?

[6] **claque** *(vulgar)* croak
[7] **m'y écraser** to knock myself out
[8] **j'ai mon étoile** I have my star, *i.e. a destiny*

L'HOMME.—Presque rien. A l'aube, comme tu le sais, nous attaquons le Palais. Chantal entrera la première, d'un balcon elle chantera. C'est tout.

ROGER.—Cent femmes. Mille et peut-être davantage. Donc elle n'est 5 plus une femme. Celle qu'on fait d'elle par rage et par désespoir a son prix. C'est pour lutter contre une image que Chantal s'est figée en image. La lutte ne se passe plus dans la réalité, mais en champs clos. Sur champ d'azur. C'est le combat des allégories. Ni les uns ni les autres nous ne voyons plus les raisons de notre 10 révolte. C'est donc qu'elle devait en arriver là.[9]

L'HOMME.—Alors? C'est oui? Chantal, réponds. C'est à toi de répondre.

CHANTAL *(à l'homme)*.—Eloigne-toi. J'ai encore quelques mots à dire.

Les trois hommes s'écartent, rentrent dans l'ombre.

15 ROGER *(avec violence)*.—Je ne t'ai pas volée pour que tu deviennes une licorne ou un aigle à deux têtes.[10]

CHANTAL.—Tu n'aimes pas les licornes.

ROGER.—Je n'ai jamais su faire l'amour avec elles. *(Il la caresse.)* Ni avec toi non plus, d'ailleurs.

20 CHANTAL.—Tu veux dire que moi, je ne sais pas aimer. Je te déçois. Pourtant je t'aime. Et toi tu m'as louée contre cent terrassières.

ROGER.—Pardonne-moi. J'en ai besoin. Et pourtant je t'aime. Je t'aime et je ne sais pas te le dire, je ne sais pas chanter. Et le dernier recours, c'est le chant.[11]

[9] *Roger sees that everything is illusion. Chantal has revolted against the illusion of the brothel to find the illusion of the revolution, and she still feels the same need to be seen as an image. By extension, all the rebels are only fighting one sort of illusion with a different illusion in order to find yet another illusion.*

[10] *The double-headed eagle was the symbol of the Hapsburg Empire. In other words, Roger did not save Chantal only for her to become an allegorical figure—the unicorn, or a symbol of power—the double-headed eagle.*

[11] *Here Genet comes very close to a dramatist who in all other respects is his very opposite, Paul Claudel. In the latter's* Soulier de satin *we read "Celui qui ne sait plus parler, qu'il chante." The idea of song is an important and complex one in Genet's works. In the Preface to the original version of* Le Balcon *he had written: "Si dans l'œuvre d'art le 'bien' doit apparaître, c'est par la grâce des pouvoirs du chant, dont la vigueur, à elle seule, saura magnifier le mal exposé."*

CHANTAL.—Avant que le jour ne paraisse, il faudra que je parte. Si la Section du Quartier Nord a réussi, dans une heure la Reine sera morte. Le Chef de la Police aura perdu. Sinon, nous ne sortirons jamais de ce bordel.[12]

ROGER.—Encore une minute, mon amour, ma vie. C'est encore la nuit. 5

CHANTAL.—C'est l'heure où la nuit se défait du jour, ma colombe, laisse-moi partir.

ROGER.—Je ne supporterai pas les minutes que je passerai sans toi.

CHANTAL.—Nous ne serons pas séparés, je te le jure. Je leur parlerai d'un ton glacial, en même temps que pour toi je murmurerai 10 des mots d'amour. D'ici tu les entendras et j'écouterai ceux que tu me diras.

ROGER.—Ils peuvent te garder, Chantal. Ils sont forts. C'est à propos d'eux que l'on dit qu'ils sont forts comme la mort.

CHANTAL.—Ne crains rien, mon amour. Je connais leur pouvoir. Celui 15 de ta douceur et de ta tendresse est plus fort. Je leur parlerai d'une voix sévère, je leur dirai ce que le peuple exige. Ils m'écouteront car ils auront peur. Laisse-moi partir.

ROGER *(dans un cri)*.—Chantal, je t'aime!

CHANTAL.—Ah, mon amour, c'est parce que je t'aime que je dois me 20 dépêcher.

ROGER.—Tu m'aimes?

CHANTAL.—Je t'aime, parce que tu es tendre et doux, toi le plus dur et le plus sévère des hommes. Et ta douceur et ta tendresse sont telles qu'elles te rendent léger comme un lambeau de tulle, 25 subtil comme un flocon de brume, aérien comme un caprice. Tes muscles épais, tes bras, tes cuisses, tes mains sont plus irréels que le passage du jour à la nuit. Tu m'enveloppes et je te contiens.

ROGER.—Chantal, je t'aime, parce que tu es dure et sévère, toi, la plus 30 tendre et la plus douce des femmes. Ta douceur et ta tendresse sont telles qu'elles te rendent sévère comme une leçon, dure comme la faim, inflexible comme un glaçon. Tes seins, ta peau,

[12] **nous ne ... bordel** we'll never get out of this mess

tes cheveux sont plus réels que la certitude de midi. Tu m'enveloppes et je te contiens.[13]

CHANTAL.—Quand je serai là-bas, quand je leur parlerai, j'écouterai en moi tes soupirs et tes plaintes et battre ton cœur. Laisse-
5 moi partir.

Il la retient.

ROGER.—Tu as encore le temps. Il reste un peu d'ombre autour des murs. Tu passeras derrière l'Archevêché. Tu connais le chemin.

UN DES REVOLTES *(à voix basse)*.—C'est l'heure, Chantal. Le jour est
10 levé.

CHANTAL.—Tu entends, ils m'appellent.

ROGER *(soudain irrité)*.—Mais pourquoi toi? Jamais tu ne sauras leur parler.

CHANTAL.—Je saurai mieux que personne. Je suis douée.

15 ROGER.—Ils sont savants, retors...

CHANTAL.—J'inventerai les gestes, les attitudes, les phrases. Avant qu'ils n'aient dit un mot, j'aurai compris, et tu seras fier de ma victoire.

ROGER.—Que les autres *y aillent. (Aux révoltés, il crie:)* Allez-y, vous.
20 Ou moi, si vous avez peur. Je leur dirai qu'ils doivent se soumettre, car nous sommes la Loi.

CHANTAL.—Ne l'écoutez pas, il est saoul. *(A Roger.)* Eux, ils ne savent que se battre et toi que m'aimer. C'est le rôle que vous avez appris à jouer. Moi, c'est autre chose. Le bordel m'aura au
25 moins servi, car c'est lui qui m'a enseigné l'art de feindre et de jouer. J'ai eu tant de rôles à tenir, que je les connais presque tous. Et j'ai eu tant de partenaires...

ROGER.—Chantal!

CHANTAL.—Et de si savants et de si retors, de si éloquents que ma
30 science, ma rouerie, mon éloquence sont incomparables. Je peux tutoyer la Reine, le Héros, le Juge, l'Evêque, le Général, la

[13] *This brief, lyric dialogue shows that, thanks to the inspiration of love, Roger is, indeed, able to sing.*

Troupe héroïque... et les tromper.

ROGER.—Tu connais tous les rôles, n'est-ce pas? Tout à l'heure, tu me donnais la réplique?[14]

CHANTAL.—Cela s'apprend vite. Et toi-même...

Les trois révoltés se sont rapprochés. 5

UN DES REVOLTES *(tirant Chantal).*—Assez de discours. Va.

ROGER.—Chantal, reste!

Chantal s'éloigne, emmenée par les révoltés.

CHANTAL.—Je t'enveloppe et je te contiens, mon amour...

Elle disparaît en direction du Balcon poussée par les trois hommes. 10

ROGER *(seul).*—... et j'ai eu tant de partenaires et de si savants, de si retors... qu'il fallait bien qu'elle s'applique à leur donner une réponse. Celle qu'ils voulaient. Elle aura tout à l'heure des partenaires retors et savants. Elle sera la réponse qu'ils attendent. 15

A mesure qu'il parle le décor s'éloigne vers la gauche, l'obscurité se fait, lui-même s'éloigne en parlant et rentre dans la coulisse. Quand la lumière vient, le décor du tableau suivant est en place.

[14] *Roger now suspects that even during their love scene Chantal was only playing a part and answering according to a role.*

SEPTIEME TABLEAU

DECOR

Le salon funéraire dont il est question dans l'énumération des Salons par Mme Irma. Ce salon est en ruine. Les étoffes—guipures noires et velours—pendent, déchirées. Les couronnes de perles sont défaites. Impression de désolation. La robe d'Irma est en lambeaux. Le costume du chef de la police aussi. Cadavre d'Arthur sur une sorte de faux tombeau de faux marbre noir. Tout près, un nouveau personnage: l'Envoyé de la Cour. Uniforme d'ambassadeur. Lui seul est en bonne condition. Carmen est vêtue comme au début. Une formidable explosion. Tout tremble.

L'ENVOYE *(désinvolte et grave à la fois).*—Il y a je ne sais combien de siècles que les siècles s'usent à me raffiner... à me subtiliser... *(il sourit)* A je ne sais quoi dans cette explosion, à sa puissance où se mêle un cliquetis de bijoux et de miroirs cassés, il me semble qu'il s'agit du Palais-Royal...

Tout le monde se regarde, atterré.

N'en montrons aucune émotion. Tant que nous ne serons pas comme ça... *(Il indique le cadavre d'Arthur.)*

IRMA.—Il ne croyait pas qu'il pourrait ce soir jouer si bien son rôle de cadavre.[1]

L'ENVOYE *(souriant).*—Notre cher Ministre de l'Intérieur eût été ravi, si lui-même n'avait eu le même sort.[2] C'est malheureusement moi qui dois le remplacer dans sa mission auprès de vous, et je n'ai plus aucun goût pour ces sortes de volupté. *(Il touche du pied le cadavre d'Arthur.)* Oui, ce corps l'eût fait se pâmer, notre cher Ministre.

[1] *an example of what André Breton calls "humour noir"*

[2] *The Minister of the Interior, the prospective customer who had a taste for corpses, had been killed.*

IRMA.—N'en croyez rien, monsieur l'Envoyé. Ce que veulent ces messieurs, c'est le trompe-l'œil. Le Ministre désirait un faux cadavre. Et Arthur est un vrai mort. Regardez-le: il est plus vrai que vivant. Tout en lui se dépêchait vers l'immobilité.

L'ENVOYE.—Il était donc fait pour la grandeur. 5

LE CHEF DE LA POLICE.—Lui? Plat et veule...

L'ENVOYE.—Lui comme nous, il était travaillé par une recherche de l'immobilité. Par ce que nous nommons le hiératique.[3] Et, en passant, laissez-moi saluer l'imagination qui ordonna dans cette maison un salon funéraire. 10

IRMA *(avec orgueil)*.—Et vous n'en voyez qu'une partie!

L'ENVOYE.—Qui en eut l'idée?

IRMA.—La sagesse des Nations, monsieur l'Envoyé.

L'ENVOYE.—Elle fait bien les choses. Mais reparlons de la Reine que j'ai pour mission de protéger. 15

LE CHEF DE LA POLICE *(agacé)*.—Vous le faites curieusement. Le Palais, d'après ce que vous dites...

L'ENVOYE *(souriant)*.—Pour le moment Sa Majesté est en lieu sûr. Mais le temps presse. Le prélat, dit-on, aurait été décapité. L'archevêché est saccagé. Le Palais de Justice, l'Etat-Major 20 sont en déroute...

LE CHEF DE LA POLICE.—Mais la Reine?

L'ENVOYE *(sur un ton très léger)*.—Elle brode. Un moment elle a eu l'idée de soigner les blessés. Mais on lui a représenté que le Trône étant menacé, elle devait porter à l'extrême les préro- 25 gatives royales.

IRMA.—Qui sont?

L'ENVOYE.—L'Absence. Sa Majesté s'est retirée dans une chambre, solitaire. La désobéissance de son peuple l'attriste. Elle brode

[3] *Hieratic means pertaining to or used by the priestly caste. Applied to a style of art it means the adherence to methods determined by a religious tradition. The Envoy probably means that Arthur, like all of us, was dominated by ritual. We begin to understand Genet's expressed desire to have* Le Balcon *performed in a large, beautiful cathedral, in the form of a "messe désacralisée."*

un mouchoir. En voici le dessin: les quatre coins seront ornés de têtes de pavots. Au centre du mouchoir, toujours brodé en soie bleue pâle, il y aura un cygne, arrêté sur l'eau. C'est ici seulement que Sa Majesté s'inquiète: sera-ce l'eau d'un lac, 5 d'un étang, d'une mare? Ou simplement d'un bac ou d'une tasse? C'est un grave problème. Nous l'avons choisi parce qu'il est insoluble et que la Reine peut s'abstraire dans une méditation infinie.

IRMA.—La Reine s'amuse?

10 L'ENVOYE.—Sa Majesté s'emploie à devenir tout entière ce qu'elle doit être: la Reine. *(Il regarde le cadavre.)* Elle aussi, elle va vite vers l'immobilité.

IRMA.—Et elle brode?

L'ENVOYE.—Non, Madame. Je dis que la Reine brode un mouchoir, 15 car s'il est de mon devoir de la décrire, il est encore de mon devoir de la dissimuler.

IRMA.—Voulez-vous dire qu'elle ne brode pas?

L'ENVOYE.—Je veux dire que la Reine brode et qu'elle ne brode pas. Elle se cure les trous de nez, examine la crotte extirpée, et se 20 recouche. Ensuite, elle essuie la vaisselle.

IRMA.—La Reine?

L'ENVOYE.—Elle ne soigne pas les blessés. Elle brode un invisible mouchoir...

LE CHEF DE LA POLICE.—Nom de Dieu! Qu'avez-vous fait de Sa Ma- 25 jesté? Répondez, et sans détours. Je ne m'amuse pas, moi...

L'ENVOYE.—Elle est dans un coffre. Elle dort. Enroulée dans les replis de la royauté, elle ronfle...

LE CHEF DE LA POLICE *(menaçant)*.—La Reine est morte?

L'ENVOYE *(impassible)*.—Elle ronfle et elle ne ronfle pas. Sa tête, 30 minuscule, supporte, sans fléchir, une couronne de métal et de pierres.

LE CHEF DE LA POLICE *(toujours plus menaçant)*.—Passons. Vous m'avez dit que le Palais était en danger... Que faut-il faire? J'ai encore avec moi la presque totalité de la police. Les hommes qui me restent se feront tuer pour moi... Ils savent qui je suis et ce que je ferai pour eux... Moi aussi j'ai mon rôle à jouer. Mais si la Reine est morte, tout est remis en cause. C'est sur elle que je m'appuie, c'est en son nom que je travaille à me faire un nom. Où en est donc la révolte? Soyez clair.

L'ENVOYE.—Jugez-en par l'état de cette maison. Et par le vôtre... Tout semble perdu.

IRMA.—Vous êtes de la Cour, Excellence. Avant que d'être ici, j'étais avec la troupe où j'ai fait mes premières armes.[4] Je peux vous assurer que j'ai trouvé des situations pires. La populace—d'où, d'un coup de talon je me suis arrachée—la populace hurle sous mes fenêtres multipliées par les bombes: ma maison tient bon. Mes chambres ne sont pas intactes, mais elles tiennent le coup. Mes putains, sauf une folle, continuent leur travail. Si le centre du Palais est une femme comme moi...

L'ENVOYE *(imperturbable)*.—La Reine est debout sur une jambe au milieu d'une chambre vide et elle...[5]

LE CHEF DE LA POLICE.—Assez! J'en ai marre de[6] vos devinettes. Pour moi, la Reine doit être quelqu'un. Et la situation concrète. Décrivez-la avec exactitude. Je n'ai pas de temps à perdre.

L'ENVOYE.—Qui voulez-vous sauver?

LE CHEF DE LA POLICE.—La Reine!

CARMEN.—Le drapeau!

IRMA.—Ma peau!

L'ENVOYE *(au Chef de la Police)*.—Si vous tenez à sauver la Reine—

[4] **j'ai ... armes** I won my first spurs

[5] *The Envoy's description of the Queen is at times mythical—the eternal embroidery that recalls Penelope, at times grotesque—when she picks her nose, snores, or stands on one leg in the middle of an empty room. This surrealistic technique makes it impossible to define the Queen. This constant play makes of her, in effect, pure "absence." At the same time there is the humorous effect produced by the reactions of the others, beings of action, who cannot pin down the Envoy and whose practical suggestions become ineffective as they are caught up in the intricate web of the Envoy's mind.*

[6] **j'en ai marre de** I'm sick and tired of

et plus loin qu'elle notre drapeau, et toutes ses franges d'or, et son aigle, ses cordes et sa hampe, voulez-vous me les décrire?

LE CHEF DE LA POLICE.—Jusqu'à présent, j'ai admirablement servi ce que vous dites, et sans me soucier d'en connaître autre chose 5 que ce que je voyais. Je continuerai. Où en est la révolte?

L'ENVOYE *(résigné)*.—Les grilles des jardins, pour un moment encore, vont contenir la foule. Les gardes sont dévoués, comme nous, d'un obscur dévouement. Ils se feront tuer pour leur souveraine. Ils donneront leur sang, hélas, il n'y en aura pas assez pour 10 noyer la révolte. On a empilé des sacs de terre devant les portes. Afin de dérouter même la raison, Sa Majesté se transporte d'une chambre secrète à une autre, de l'office à la salle du Trône, des latrines au poulailler, à la chapelle, au corps de garde... Elle se rend introuvable et regagne ainsi une invisibilité 15 menacée. Voilà pour l'intérieur du Palais.

LE CHEF DE LA POLICE.—Le Généralissime?

L'ENVOYE.—Fou. Egaré dans la foule où personne ne lui fera du mal, sa folie le protège.

LE CHEF DE LA POLICE.—Le Procureur?

20 L'ENVOYE.—Mort de peur.

LE CHEF DE LA POLICE.—L'Evêque?

L'ENVOYE.—Son cas est plus difficile. L'Eglise est secrète. On ne sait rien de lui. Rien de précis. On a cru voir sa tête coupée sur le guidon d'un vélo, c'était faux, naturellement. On ne compte 25 donc que sur vous. Mais vos ordres arrivent mal.

LE CHEF DE LA POLICE.—En bas, dans les couloirs et dans les salons, j'ai assez d'hommes dévoués pour nous protéger tous. Ils peuvent rester en liaison avec mes services...

L'ENVOYE *(l'interrompant)*.—Vos hommes sont en uniforme?

30 LE CHEF DE LA POLICE.—Bien sûr. Il s'agit de mon escorte. Vous m'imaginez avec une escorte en veston sport? En uniformes. Noirs. Avec mon fanion. Dans son étui pour le moment. Ils sont braves. Eux aussi ils veulent vaincre.

L'ENVOYE.—Pour sauver quoi? *(Un temps.)* Vous ne répondez pas?

Cela vous gênerait de voir juste? De poser un regard tranquille sur le monde et d'accepter la responsabilité de votre regard, quoi qu'il vît.[7]

LE CHEF DE LA POLICE.—Mais enfin, en venant me trouver, vous songiez bien à quelque chose de précis? Vous aviez un plan? Dites-le. 5

Soudain, on entend une formidable explosion. Tous les deux, mais non Irma, s'aplatissent, puis ils se relèvent, s'époussètent mutuellement.

L'ENVOYE.—Il se pourrait que ce fût le Palais-Royal. Vive le Palais-Royal! 10

IRMA.—Mais alors, tout à l'heure... l'explosion?...

L'ENVOYE.—Un palais royal n'en finit jamais de sauter. Il est même tout entier cela: une explosion ininterrompue.

Entre Carmen: elle jette un drap noir sur le cadavre d'Arthur, et remet un peu d'ordre. 15

LE CHEF DE LA POLICE *(consterné)*.—Mais la Reine... La Reine alors est sous les décombres?...

L'ENVOYE *(souriant mystérieusement)*.—Rassurez-vous, Sa Majesté est en lieu sûr. Et mort, ce phénix saurait s'envoler des cendres d'un palais royal.[8] Je comprends que vous soyiez impatient de lui prouver votre vaillance, votre dévouement... mais la Reine attendra le temps qu'il faut. *(A Irma.)* Je dois rendre hommage, madame, à votre sang-froid. Et à votre courage. Ils sont dignes des plus hauts égards... *(Rêveur)* Des plus hauts... 20 25

IRMA.—Vous oubliez à qui vous parlez.[9] C'est vrai que je tiens un bordel, mais je ne suis pas née des noces de la lune et d'un

[7] *The others believe in symbols, but the Envoy, while serving them, sees through their absurdity.*

[8] *The phoenix is a mythological bird, immortal because constantly reborn from his ashes.*

[9] *because suddenly the Envoy was speaking to Irma the bawd as if she were a superior being, a queen*

caïman:[10] je vivais dans le peuple... Tout de même, le coup a été rude. Et le peuple...

L'ENVOYE *(sévère)*. Laissez cela. Quand la vie s'en va, les mains se rattachent à un drap. Que signifie ce chiffon quand vous allez
5 pénétrer dans la fixité providentielle?

IRMA.—Monsieur? Vous voulez me dire que je suis à l'agonie...

L'ENVOYE *(l'examinant, la détaillant)*.—Bête superbe! Cuisses d'aplomb! Epaules solides!... Tête...

IRMA *(riant)*.—On l'a déjà prétendu, figurez-vous, et cela ne m'a pas
10 fait perdre la tête. En somme, je ferai une morte présentable, si les révoltés se dépêchent, et s'ils me laissent intacte. Mais si la Reine est morte...

L'ENVOYE *(s'inclinant)*.—Vive la Reine, Madame.[11]

IRMA *(d'abord interloquée, puis irritée)*.—Je n'aime pas qu'on se foute
15 de moi. Rengainez vos histoires. Et au trot.[12]

L'ENVOYE *(vivement)*.—Je vous ai dépeint la situation. Le peuple dans sa fureur et dans sa joie, est au bord de l'extase: à nous de l'y précipiter.

IRMA.—Au lieu de rester là, à dire vos âneries, allez fouiller les dé-
20 combres du Palais pour retirer la Reine. Même un peu rôtie...

L'ENVOYE *(sévère)*.—Non. Une reine cuite et en bouillie[13] n'est pas présentable. Et même vivante, elle était moins belle que vous.

IRMA *(se regardant dans un miroir, avec complaisance)*.—Elle venait de plus loin... Elle était plus vieille... Et enfin, elle avait peut-
25 être aussi peur que moi.

[10] *The cayman is a species of crocodile. This is what Apollinaire would have designated as an "image-choc." Its effect is based on the juxtaposition of two diametrically opposed categories. Moonlight is ethereal, poetic, and delicate, while a crocodile is physical, ugly, and menacing. With this comparison Irma says that, unlike the Queen, she is not the product of a grotesque mating between poetry and power.*

[11] *There is an interesting comparison to be made with Ugo Betti's play,* The Queen and the Rebels *(1951), in which the central scene, too, is one where a prostitute must decide to play the role of a dead queen.*

[12] **je n'aime ... au trot** I don't like to be kidded. So pack up your stories. And on the double.

[13] **en bouillie** hacked to pieces

LE CHEF DE LA POLICE.—C'est pour s'approcher d'elle, c'est pour être digne d'un de ses regards qu'on se donne tant de mal. Mais si l'on est Elle-même?...

Carmen s'arrête pour écouter.

IRMA.—Je ne sais pas parler. Ma langue bute à chaque seconde. 5

L'ENVOYE.—Tout doit se dérouler dans un silence que l'étiquette ne permet à personne de rompre.

LE CHEF DE LA POLICE.—Je vais faire ce qu'il faut pour qu'on déblaie le Palais Royal. Si la Reine était enfermée, comme vous le dites, dans un coffre, on peut la délivrer... 10

L'ENVOYE *(haussant les épaules)*.—En bois de rose le coffre! Et si vieux, si usé!... *(A Irma et lui passant la main sur la nuque.)* Oui, il faut des vertèbres solides... il s'agit de porter plusieurs kilos...

LE CHEF DE LA POLI.CE.—Et résister au couperet, n'est-ce pas? Irma, ne l'écoute pas! *(A l'Envoyé.)* Et moi, alors, qu'est-ce que je 15 deviens? Je suis l'homme fort du pays, c'est vrai, mais parce que je me suis appuyé sur la couronne. J'en impose au plus grand nombre, mais parce que j'ai eu la bonne idée de servir la Reine... même si quelquefois j'ai simulé des goujateries... simulé vous entendez?... Ce n'est pas Irma... 20

IRMA *(à l'Envoyé)*.—Je suis bien faible, Monsieur, et bien fragile, au fond. Tout à l'heure je crânais...

L'ENVOYE *(avec autorité)*.—Autour de cette amande délicate et précieuse nous forgerons un noyau d'or et de fer. Mais il faut vous décider vite. 25

LE CHEF DE LA POLICE *(furieux)*.—Avant moi! Ainsi Irma passerait avant moi! Tout le mal que je me suis donné pour être le maître ne servirait à rien. Tandis qu'elle, bien calfeutrée dans ses salons, n'aurait qu'à faire un signe de tête... Si je suis au pouvoir, je veux bien imposer Irma... 30

L'ENVOYE.—Impossible. C'est d'elle que vous devez tenir votre autorité. Il faut qu'elle apparaisse de droit divin. N'oubliez pas que vous n'êtes pas encore représenté dans ses salons.

IRMA.—Laissez-moi encore un peu de répit...

L'ENVOYE.—Quelques secondes, le temps presse.

LE CHEF DE LA POLICE.—Si seulement nous pouvions savoir ce qu'en pense la souveraine défunte? Nous ne pouvons pas décider aussi facilement. Capter un héritage...

5 L'ENVOYE (*méprisant*).—Vous flanchez. S'il n'y a pas au-dessus de vous une autorité qui décide, vous tremblez? Mais c'est à madame Irma de prononcer...

IRMA (*d'une voix prétentieuse*).—Dans les archives de notre famille, qui date de très longtemps, il était question...

10 L'ENVOYE (*sévère*).—Sornettes, madame Irma. Dans nos caves, des généalogistes travaillent jour et nuit. L'Histoire leur est soumise. J'ai dit que nous n'avons pas une minute à perdre pour vaincre le peuple, mais attention! S'il vous adore, son orgueil pathétique est capable de vous sacrifier. Il vous voit rouge, soit 15 de pourpre, soit de sang. Du vôtre. S'il tue ses idoles et les pousse à l'égoût, il vous y traînera avec elles...

On entend encore la même explosion. L'Envoyé sourit.

LE CHEF DE LA POLICE.—Le risque est énorme.

CARMEN (*intervient*).—C'est à madame Irma de décider. (*A Irma.*) Les 20 ornements sont prêts.

IRMA (*à l'Envoyé*).—Vous êtes sûr, au moins, de ce que vous dites? Etes-vous bien au courant? Vos espions?

L'ENVOYE.—Ils nous renseignent avec autant de fidélité que vos judas plongeant dans vos salons. (*Souriant.*) Et je dois dire que nous 25 les consultons avec le même délicieux frisson. Mais il faut faire vite. Une course contre la montre est engagée. Eux ou nous. Madame Irma, pensez avec vélocité.

IRMA (*la tête dans ses mains*).—Je me dépêche, monsieur. Je m'approche, aussi vite que possible, de mon destin... (*A Carmen.*) Va 30 voir ce qu'ils font.

CARMEN.—Je les tiens sous clé.

IRMA.—Prépare-les.

L'ENVOYE *(à Carmen)*.—Et de vous, que fera-t-on de vous?

CARMEN.—Je suis là pour l'éternité, monsieur.[14] *(Elle sort.)*

L'ENVOYE.—Autre chose, et c'est plus délicat. J'ai parlé d'une image qui depuis quelques jours monte au ciel de la révolte...

IRMA.—La révolte aussi a son ciel? 5

L'ENVOYE.—Ne l'enviez pas. L'image de Chantal circule dans les rues. Une image qui lui ressemble et ne lui ressemble pas. Elle domine les combats. On luttait d'abord contre les tyrans illustres et illusoires, ensuite pour la Liberté; demain, c'est pour Chantal qu'on se fera tuer. 10

IRMA.—L'ingrate! Elle qui était une Diane de Poitiers[15] si recherchée.

LE CHEF DE LA POLICE.—Elle ne tiendra pas. Elle est comme moi, elle n'a ni père ni mère. Et si elle devient une image nous nous en servirons. *(Un temps.)*... Un masque...

L'ENVOYE.—Ce qu'il y a de beau sur la terre, c'est aux masques que 15 vous le devez.[16]

Soudain une sonnerie. Madame Irma va pour se précipiter, mais elle se ravise. Au Chef de la Police.

IRMA.—C'est Carmen. Que dit-elle? Que font-ils?

Le Chef de la Police prend un des écouteurs. 20

LE CHEF DE LA POLICE *(transmettant)*.—En attendant le moment de rentrer chez eux, ils se regardent dans les miroirs.

IRMA.—Qu'on brise ou qu'on voile les miroirs.

Un silence. On entend un crépitement de mitrailleuse.

Ma décision est prise. Je suppose que j'étais appelée de toute 25 éternité, et que Dieu me bénira. Je vais aller me préparer dans la prière...

[14] *In this connection, it might be well to remember the question that Genet poses: Who runs the brothel and the play, Carmen or Irma?*
[15] *the mistress of Henry II, a role that Chantal played before escaping from the Balcony*
[16] *one of the themes of the play: beauty is found only in illusion*

L'ENVOYE *(grave).*–Vous avez des toilettes?

IRMA.–Comme mes salons, mes placards sont célèbres. *(Soudain inquiète.)* Il est vrai que tout doit être dans un triste état! Les bombes, le plâtre, la poussière. Prévenez Carmen! Qu'elle fasse brosser les costumes. *(Au Chef de la Police.)* Georges... cette minute est la dernière que nous passons ensemble! Après, ce ne sera plus nous...

Discrètement, l'Envoyé s'écarte et s'approche de la fenêtre.

LE CHEF DE LA POLICE *(avec tendresse).*–Mais je t'aime.

L'ENVOYE *(se retournant, et d'un ton très détaché).*–Pensez à cette montagne au nord de la ville. Tous les ouvriers étaient à l'ouvrage quand la révolte a éclaté... *(Un temps.)* Je parle d'un projet de tombeau...

LE CHEF DE LA POLICE *(avec gourmandise).*–Le plan!

L'ENVOYE.–Plus tard. Une montagne de marbre rouge creusée de chambres et de niches, et au milieu une minuscule guérite de diamants.

LE CHEF DE LA POLICE.–J'y pourrai veiller debout ou assis toute ma mort?

L'ENVOYE.–Celui qui l'aura y sera, mort, pour l'éternité. Autour le monde s'ordonnera. Autour les planètes tourneront et les soleils. D'un point secret de la troisième chambre partira un chemin qui aboutira, après bien des complications, à une autre chambre où des miroirs renverront à l'infini... Je dis l'infini...

LE CHEF DE LA POLICE.–Je marche!

L'ENVOYE.–L'image d'un mort.

IRMA *(serrant contre elle le chef de la Police).*–Ainsi je serai vraie? Ma robe sera vraie? Mes dentelles, mes bijoux seront vrais? Le reste du monde...

Crépitement de mitrailleuse.

L'ENVOYE *(après avoir jeté un dernier coup d'œil à travers les volets).*

–Oui, mais dépêchez-vous. Allez dans vos appartements. Brodez un interminable mouchoir... *(Au Chef de la Police.)* Vous, donnez vos derniers ordres à vos derniers hommes. *(Il va à un miroir. De sa poche il sort toute une collection de décorations, et il les accroche sur sa tunique. L'Envoyé d'un ton canaille.)* Et faites vite. Je perds mon temps à écouter vos conneries.[17]

[17] **conneries** *(very vulgar)* stupidities

HUITIEME TABLEAU
LE BALCON

DECOR

C'est le balcon lui-même, se détachant sur la façade d'une maison close.[1] *Volets tirés, face au public. Soudain, tous les volets s'ouvrent d'eux-mêmes. Le rebord du balcon se trouve tout au bord de la rampe. Par les fenêtres, on aperçoit l'Evêque, le Général, le Juge, qui se préparent. Enfin la fenêtre s'ouvre à deux battants.*[2] *Ils pénètrent sur le balcon. D'abord l'Evêque, puis le Général, puis le Juge. Enfin le Héros. Puis la Reine: Mme Irma, diadème sur le front, manteau d'hermine. Tous les personnages s'approchent et s'installent avec une grande timidité. Ils sont silencieux. Simplement, ils se montrent. Tous sont de proportion démesurée, géante—sauf le Héros, c'est-à-dire le chef de la Police—et revêtus de leurs costumes de cérémonie, mais déchirés et poussiéreux. Apparaît alors près d'eux, mais hors du balcon, le Mendiant.*

LE MENDIANT *(Il crie d'une voix douce).*—Vive la Reine!

Il s'en va timidement, comme il est venu. Enfin, un grand vent fait bouger les rideaux: paraît Chantal. La Reine lui fait une révérence. Un coup de feu. Chantal tombe. Le Général et la Reine l'emportent, morte.

[1] **maison close** brothel
[2] **s'ouvre à deux battants** is flung open

NEUVIEME TABLEAU

DECOR

La scène représente la chambre d'Irma, mais comme après un ouragan. Au fond, un grand miroir à deux pans formant le mur. A droite, une porte, à gauche, une autre. Trois appareils photographiques sur pieds, sont installés. Auprès de chaque appareil un photographe, qui est un 5 *jeune homme très déluré d'aspect, blouson noir et blue jeans collants. Visages ironiques. Puis, à tour de rôle, et très timidement, apparaissent, venant de droite l'Evêque, de gauche, le Juge et le Général. Dès qu'ils se voient, ils se font une profonde révérence. Puis, le Général salue* 10 *militairement l'Evêque, celui-ci bénit le Général.*

LE JUGE *(avec un soupir de soulagement)*.—On revient de loin!

LE GENERAL.—Et ce n'est pas fini! C'est toute une vie qu'il faut inventer... Difficile...

L'EVEQUE *(ironique)*.—... Ou non, il faudra la vivre. Aucun de nous 15 ne peut plus reculer. Avant de monter dans le carrosse...

LE GENERAL.—La lenteur du carrosse!

L'EVEQUE.—... de monter dans le carrosse, s'évader était encore possible. Mais maintenant...

LE JUGE.—Vous pensez qu'on nous aura reconnus? J'étais au milieu, 20 donc masqué par vos deux profils. En face de moi Irma... *(Il s'étonne de ce nom.)* Irma? La Reine... La Reine cachait ma face... Vous?

L'EVEQUE.—Aucun danger. Vous savez qui j'ai vu... à droite... *(Il ne peut s'empêcher de rire.)* Avec sa bonne gueule grasse et rose 25 malgré la ville en miettes, *(Sourire des deux autres comparses.)* avec ses fossettes et ses dents gâtées? Et qui s'est jeté sur ma main... J'ai cru pour me mordre et j'allais retirer mes doigts...

pour baiser mon anneau? Qui? Mon fournisseur d'huile d'arachides!

Le Juge rit.

LE GENERAL *(sombre)*.—La lenteur du carrosse! Les roues du carrosse sur les pieds, sur les mains du peuple! La poussière!

LE JUGE *(avec inquiétude)*.—J'étais en face de la Reine. Par la glace du fond, une femme...

L'EVEQUE *(l'interrompant)*.—Je l'ai vue aussi, à la portière de gauche, elle se dépêchait pour nous jeter des baisers!

LE GENERAL *(toujours plus sombre)*.—La lenteur du carrosse! Nous avancions si doucement parmi la foule en sueur! Ses hurlements comme des menaces: ce n'étaient que vivats. Un homme aurait pu couper le jarret des chevaux, tirer un coup de pistolet, détacher l'attelage, nous harnacher, nous attacher aux brancards ou aux chevaux, nous écarteler ou nous transformer en percherons: rien. Quelques fleurs d'une fenêtre et un peuple qui s'incline devant la Reine, droite sous sa couronne dorée... *(Un temps.)* Et les chevaux qui allaient au pas... Et l'Envoyé debout sur le marchepied! *(Un silence.)*

L'EVEQUE.—Personne ne pouvait nous reconnaître, nous étions dans les dorures. Aveuglé, tout le monde en avait un éclat dans l'œil...

LE JUGE.—Il s'en est fallu de peu...[1]

L'EVEQUE *(toujours ironique)*.—Epuisés par les combats, étouffé par la poussière, les braves gens attendaient le cortège. Ils n'ont vu que le cortège. En tous les cas, nous ne pouvons plus reculer. Nous avons été choisis...

LE GENERAL.—Par qui?

L'EVEQUE *(soudain emphatique)*.—La Gloire en personne.

LE GENERAL.—Cette mascarade?

L'EVEQUE.—Il dépend de nous que cette mascarade change de signification. Employons d'abord des mots qui magnifient. Agissons vite, et avec précision. Pas d'erreurs permises. *(Avec autorité.)*

[1] **il s'en est fallu de peu** it wouldn't have taken much

Pour moi, chef symbolique de l'Eglise de ce pays, j'en veux devenir le chef effectif. Au lieu de bénir, bénir, et bénir jusqu'à plus soif,[2] je vais signer des décrets et nommer des curés. Le clergé s'organise. Une basilique est en chantier. Tout est là. *(Il montre un dossier qu'il tenait sous le bras.)* Bourré de plans, de projets. *(Au Juge.)* Et vous?

LE JUGE *(regardant sa montre-bracelet).*—J'ai rendez-vous avec plusieurs magistrats. Nous préparons des textes de lois, une révision du code. *(Au Général.)* Vous?

LE GENERAL.—Oh, moi, vos idées traversent ma pauvre tête comme la fumée traverse une cabane en planches. L'art de la Guerre ne se réussit pas de chic.[3] Les Etats-Majors...

L'EVEQUE *(coupant).*—Comme le reste. Le sort des armes est lisible dans vos étoiles. Déchiffrez vos étoiles, nom de Dieu!

LE GENERAL.—Facile à dire. Mais quand le Héros reviendra posé solide sur son cul comme sur un cheval... Car, naturellement, il n'y a toujours rien?

L'EVEQUE.—Rien. Mais qu'on ne se réjouisse pas trop vite. Si son image ne connaît pas encore la consécration du bordel, cela peut venir. Ce sera alors notre perte. A moins que vous fassiez l'effort suffisant pour vous emparer du pouvoir.

Soudain il s'interrompt. Un des photographes a raclé sa gorge, comme pour cracher, un autre a claqué des doigts comme une danseuse espagnole.

L'EVEQUE *(sévère).*—Vous êtes là, en effet. Il vous faudra opérer vite, et en silence si possible. Vous prendrez chacun de nos profils, l'un souriant, l'autre plus sombre.

LE 1er PHOTOGRAPHE.—On a bien l'intention de faire notre métier. *(A l'Evêque.)* En place pour la prière puisque c'est d'abord sous l'image d'un homme pieux qu'on doit noyer le monde.

L'EVEQUE *(sans bouger).*—Dans une méditation ardente.

LE 1er PHOTOGRAPHE.—Ardente. Arrangez-vous.

[2] **jusqu'à plus soif** until I've had enough of it
[3] **de chic** just like that

L'EVEQUE *(mal à son aise).*–Mais... comment?

LE 1er PHOTOGRAPHE *(rieur).*–Vous ne savez pas vous disposer pour la prière? Alors, à la fois face à Dieu et face à l'objectif. Les mains jointes. La tête levée. Les yeux baissés. C'est la pose
5 classique. Retour à l'ordre, retour au classicisme.

L'EVEQUE *(s'agenouillant).*–Comme ceci?

LE 1er PHOTOGRAPHE *(le regardant avec curiosité).*–Oui... *(Il regarde l'appareil.)* Non, vous n'êtes pas dans le champ... *(En se traînant sur les genoux l'Evêque entre dans le champ de l'appareil.)*
10 Bien.

LE 2e PHOTOGRAPHE *(au Juge).*–S'il vous plaît, allongez un peu les traits de votre visage. Vous n'avez pas tout à fait l'air d'un juge. Une figure plus longue...

LE JUGE.–Chevaline? Morose?

15 LE 2e PHOTOGRAPHE.–Chevaline et morose, monsieur le Procureur. Et les deux mains de devant sur votre dossier... Ce que je veux c'est prendre le Juge. Le bon photographe c'est celui qui propose l'image dé-fi-ni-ti-ve. Parfait.

LE 1er PHOTOGRAPHE *(à l'Evêque).*–Tournez-vous... un peu... *(Il lui*
20 *tourne la tête.)*

L'EVEQUE *(en colère).*–Vous dévissez le cou d'un prélat!

LE 1er PHOTOGRAPHE.–Monseigneur, vous devez prier de trois quarts.[4]

LE 2e PHOTOGRAPHE *(au Juge).*–Monsieur le Procureur, si c'était
25 possible, un peu plus de sévérité... la lèvre pendante... *(Dans un cri.)* Oh! parfait! Ne touchez à rien!

Il court derrière l'appareil, mais déjà, il y a un éclair de magnésium: c'est le 1er Photographe qui vient d'opérer. Le 2e se glisse sous le voile noir de son appareil.

30 LE GENERAL *(au 3e Photographe).*–La plus belle attitude c'est celle de Turenne...[5]

[4] **de trois quarts** three-quarter face
[5] *a famous seventeenth-century French general*

LE 3e PHOTOGRAPHE *(prenant une pose)*.—Avec l'épée?

LE GENERAL.—Non, non. Ça c'est Bayard.[6] Non, le bras tendu et le bâton de maréchal...

LE 3e PHOTOGRAPHE.—Ah, vous voulez dire Wellington?[7]

LE GENERAL.—Malheureusement je n'ai pas de bâton... 5

Cependant le 1er Photographe est revenu auprès de l'Evêque qui n'a pas bougé, et il l'examine en silence.

LE 3e PHOTOGRAPHE *(au Général)*.—Nous avons ce qu'il faut. Tenez, et prenez la pose.

Il roule une feuille de papier en forme de bâton de maréchal, il le tend au Général qui prend la pose, puis il court à son appareil: un éclair de magnésium: c'est le 2e Photographe qui vient d'opérer. 10

L'EVEQUE *(au 1er Photographe)*.—J'espère que le cliché sera réussi. Maintenant, il faudrait inonder le monde de mon image alors que je reçois l'Eucharistie.[8] Hélas, nous n'avons pas d'hostie sous la main... 15

LE 1er PHOTOGRAPHE.—Faites-nous confiance, Monseigneur. Dans la corporation, il y a de la ressource.[9] *(Il appelle.)* Monsieur le Procureur? 20

Le Juge s'approche.

Pour un chouette de cliché,[10] vous me prêtez votre main une minute *(d'autorité il le prend par la main et le place)* mais, que votre main seule paraisse... Là... retroussez un peu votre manche... au-dessus de la langue de Monseigneur vous allez tenir... *(Il cherche dans sa poche. A l'Evêque.)* Tirez la langue. Plus grand. Bien. *(Il cherche toujours dans ses poches. Un éclair de magnésium: c'est le Général qu'on vient de photographier, et qui se relève.)* Merde! J'ai rien du tout! *(Il regarde autour de lui. A l'Evêque.)* Ne bougez pas, c'est parfait. Vous permettez? 25 30

[6] *an illustrious sixteenth-century French general*

[7] *an English general, known especially for his victory over Napoleon at Waterloo.*

[8] **alors ... l'Eucharistie** while I receive Communion

[9] **dans la ... ressource** we know all the tricks of the trade

[10] **pour un ... cliché** for a hell of a good shot

Sans attendre la réponse il retire de l'orbite du Général son monocle, revient au groupe formé par l'Evêque et le Juge. Il oblige le Juge à tenir le monocle au-dessus de la langue de l'Evêque, comme s'il s'agissait d'une hostie, et il court à son appareil. Un éclair de magnésium. Depuis un moment, la Reine, qui vient d'entrer avec l'Envoyé, regarde la scène.

L'ENVOYE.—C'est une image vraie, née d'un spectacle faux.

LE 1er PHOTOGRAPHE *(gouailleur).*—C'est dans les habitudes, Majesté. Quand les révoltés furent faits prisonniers, nous avons payé un gendarme pour qu'il abatte devant nous un homme qui allait me chercher un paquet de cigarettes. La photo représentait un révolté descendu alors qu'il tentait de s'évader.

LA REINE.—Monstrueux!

L'ENVOYE.—Ce qui compte, c'est la lecture. L'Histoire fut vécue afin qu'une page glorieuse soit écrite puis lue. *(Aux photographes.)* La Reine me dit qu'elle vous félicite, messieurs. Elle vous demande de gagner vos postes.

Les trois photographes se placent sous le voile noir de leur appareil. Un silence.

LA REINE *(tout bas, comme pour elle-même).*—Il n'est pas là?

L'ENVOYE *(aux Trois Figures).*—La Reine voudrait savoir ce que vous faites, ce que vous comptez faire?

L'EVEQUE.—Nous récupérions le plus de morts possibles. Nous comptions les embaumer et les déposer dans notre ciel. Votre Grandeur exige que vous ayez fait une hécatombe parmi les rebelles. Nous ne garderons pour nous, tombés dans nos rangs, que quelques martyrs à qui nous rendrons des honneurs qui nous honorent.

LA REINE *(à l'Envoyé).*—Cela servira ma gloire, n'est-ce-pas?

L'ENVOYE *(souriant).*—Les massacres sont encore une fête où le peuple s'en donne à cœur joie[11] de nous haïr. Je parle bien sûr

[11] **à cœur joie** to their hearts' content

de «notre» peuple. Il peut, enfin, dans son cœur nous dresser une statue pour la larder de coups.[12] Je l'espère du moins.

LA REINE.—La mansuétude ni la bonté ne peuvent donc rien?

L'ENVOYE *(souriant)*.—Un salon Saint-Vincent de Paul?[13]

LA REINE *(agacée)*.—Vous, monsieur le Juge que fait-on? J'avais ordonné moins de condamnations à mort et davantage aux travaux forcés.[14] J'espère que les galeries souterraines sont achevées? *(A l'Envoyé.)* C'est ce mot de galériens[15] que vous avez prononcé, qui me fait songer aux galeries du mausolée. Achevées? 5

LE JUGE.—Complètement. Ouvertes au public, qui visite le dimanche. Certaines voûtes sont tout entières ornées des squelettes des condamnés morts au terrassement. 10

LA REINE *(vers l'Evêque)*.—Et l'Eglise? Quiconque n'a pas travaillé au moins une semaine à cette extraordinaire chapelle est en état de péché mortel, je suppose? 15

L'Evêque s'incline.

(Au Général:) Quant à vous, je connais votre sévérité: vos soldats surveillent les ouvriers, et ils ont bien mérité le beau nom de bâtisseurs. *(Souriant tendrement avec une feinte fatigue.)* Car vous le savez, messieurs, que je veux offrir ce tombeau au Héros. Vous connaissez sa tristesse, n'est-ce pas, et comme il peut souffrir de n'être pas encore représenté. 20

LE GENERAL *(s'enhardissant)*.—Il aura beaucoup de mal pour arriver à la gloire. Les places sont prises depuis longtemps. Chaque niche a sa statue. *(Avec fatuité.)* Nous, au moins... 25

LE JUGE.—C'est toujours ainsi quand on veut partir de très bas. Et surtout, en niant, ou en négligeant les données traditionnelles. L'acquit, en quelque sorte.

[12] **larder de coups** to shower blows on
[13] *Saint Vincent de Paul was known for his goodness and charity. The Envoy answers the Queen's question in the negative by referring to the fact that nobody had ever played the role of Saint Vincent in the Balcony.*
[14] **moins de ... forcés** fewer death penalties and more hard labor
[15] **galériens** galley slaves

LA REINE *(soudain vibrante)*.—Pourtant c'est lui qui a tout sauvé. Il vous a permis de poursuivre vos cérémonies.

L'EVEQUE *(arrogant)*.—Pour être francs, madame, nous n'y songeons déjà plus. Moi, mon jupon m'embarrasse et je me prends les pattes[16] dans la guipure. Il va falloir agir. 5

LA REINE *(indignée)*.—Agir? Vous? Vous voulez dire que vous allez nous déposséder de notre pouvoir?

LE JUGE.—Il faut bien que nous remplissions nos fonctions?[17]

LA REINE.—Fonctions! Vous songez à l'abattre, à le diminuer, prendre sa place! 10

L'EVEQUE.—Dans le temps,—dans le temps ou dans un lieu!—il existe peut-être de hauts dignitaires chargés de l'absolue dignité, et revêtus d'ornements véritables...

LA REINE *(très en colère)*.—Véritables! Et ceux-là, alors? Ceux qui vous enveloppent et vous bandent—toute mon orthopédie![18]—et 15 qui sortent de mes placards, ils ne sont pas véritables?

L'EVEQUE *(montrant l'hermine du Juge, la soie de sa robe, etc.)*.— Peau de lapin,[19] satinette,[20] dentelle à la machine...[21] vous croyez que toute notre vie nous allons nous contenter d'un simulacre? 20

LA REINE *(outrée)*.—Mais ce matin...

Elle s'interrompt. Doucement, humblement, entre le Chef de la Police.

Georges, méfie-toi d'eux!

[16] **je me prends les pattes** I trip

[17] *The Bishop had said in the first scene that if he were really a bishop he would have to be constantly aware of his state as bishop by acting as bishop in order to* **remplir sa fonction.** *This theme was repeated by both the Judge and the General in the second and third scenes. See note 14, p. 29.*

[18] *Orthopedia is the art of correcting deformities. Here the meaning is* the paraphernalia of disguise, *which rectifies the deformities of reality.*

[19] *instead of genuine ermine*

[20] **satinette** sateen, *a cheap cotton made to look like satin*

[21] **dentelle à la machine** machine-made lace *(rather than the expensive hand made variety)*

LE CHEF DE LA POLICE *(essayant de sourire).*—Je crois que... la victoire... nous tenons la victoire... Je peux m'asseoir? *(Il s'assied. Puis du regard, il semble interroger tout le monde.)*

L'ENVOYE *(ironique).*—Non, personne n'est encore venu. Personne
5 n'a encore éprouvé le besoin de s'abolir dans votre fascinante image.

LE CHEF DE LA POLICE.—Les projets que vous m'avez soumis ont donc peu d'efficacité *(A la Reine.)* Rien? Personne?

LA REINE *(très douce).*—Personne. Pourtant, on a refermé les per-
10 siennes, les hommes devraient venir. D'ailleurs le dispositif est en place et nous serons prévenus par un carillon.

L'ENVOYE *(au Chef de la Police).*—Mon projet de ce matin vous a déplu. Or c'est cette image de vous-même qui vous hante et qui doit hanter les hommes.

15 LE CHEF DE LA POLICE.—Inefficace.

L'ENVOYE *(montrant un cliché).*—Le manteau rouge du bourreau, et sa hache. Je proposais le rouge amarante, et la hache d'acier.

LA REINE *(irritée).*—Salon 14, dit Salon des Exécutions Capitales. Déjà représenté.

20 LE JUGE *(aimable au Chef de la Police).*—On vous craint, cependant.

LE CHEF DE LA POLICE.—J'ai peur qu'on craigne, qu'on jalouse un homme mais... *(il cherche)* mais non une ride, par exemple, ou une boucle de cheveux... ou un cigare... ou une cravache. Le dernier projet d'image qu'on m'a soumis... j'ose à peine vous en
25 parler.

LE JUGE.—C'était... très audacieux?

LE CHEF DE LA POLICE.—Très. Trop. Jamais je n'oserai vous le dire. *(Soudain il semble se décider.)* Messieurs, j'ai assez de confiance dans votre jugement et dans votre dévouement. Après tout je
30 veux mener le combat aussi par l'audace des idées. Voici: on m'a conseillé d'apparaître sous la forme d'un phallus géant, d'un chibre de taille.[22]

[22] **un chibre de taille** *(very vulgar)* an immense penis. *Genet has already prepared the way for the shocking introduction of the phallic symbol, when in*

Les Trois Figures et la Reine sont consternés.

LA REINE.—Georges! Toi?

LE CHEF DE LA POLICE.—Si je dois symboliser la nation, ton claque...[23]

L'ENVOYE *(à la Reine)*.—Laissez, madame. C'est le ton de l'époque.

LE JUGE.—Un phallus? Et de taille? Vous voulez dire: énorme? 5

LE CHEF DE LA POLICE.—De ma taille.

LE JUGE.—Mais c'est très difficile à réaliser.

L'ENVOYE.—Pas tellement. Les techniques nouvelles, notre industrie du caoutchouc permettraient de très belles mises au point. Non, ce n'est pas cela qui m'inquiète, mais plutôt... *(Se tournant vers* 10 *l'Evêque)* ... ce qu'en penserait l'Eglise?

L'EVEQUE *(après réflexion, et haussant les épaules)*.—Rien de définitif ne peut être prononcé ce soir. Certes, l'idée est audacieuse, *(au Chef de la Police)* mais si votre cas est désespéré, nous devrons examiner la question. Car... ce serait une redoutable figuration, 15 et si vous deviez vous transmettre sous cette forme, à la postérité...

LE CHEF DE LA POLICE *(doucement)*.—Vous voulez voir la maquette?

LE JUGE *(au Chef de la Police)*.—Vous avez tort de vous impatienter. Nous, nous avons attendu deux mille ans pour mettre au point 20 notre personnage. Espérez...

LE GENERAL *(l'interrompant)*.—La gloire s'obtient dans les combats. Vous n'avez pas assez de soleils d'Austerlitz.[24] Combattez, ou asseyez-vous et attendez les deux mille ans réglementaires.

Tout le monde rit. 25

LA REINE *(avec violence)*.—Vous vous foutez de sa peine. Et c'est moi qui vous ai remarqués! Moi qui vous ai dénichés dans la

---

the fifth scene Irma made some disparaging remarks about the masculinity of the Police Chief and had suggested that he had chosen Arthur to replace him. This is also a very appropriate allusion to dictators whose outward show of virility hides their impotence.

[23] **claque** *(vulgar)* brothel

[24] *a famous battle. The General means* you don't have enough illustrious battles to your credit.

chambre de mon bordel et embauchés pour sa gloire. Et vous avez accepté de me servir.

Un silence.

L'EVEQUE *(décidé).*—C'est ici que se pose, et très sérieusement la question: allez-vous vous servir de ce que nous représentons, ou bien nous... *(Il montre les deux autres Figures.)* ...allons-nous vous faire servir ce que nous représentons?

LA REINE *(soudain en colère).*—Des pantins qui sans leur peau de lapin, comme vous dites, ne seraient rien, vous un homme qu'on a fait danser nu—c'est-à-dire dépiauté![25] sur les places publiques de Tolède et de Séville! et qui dansait! Au bruit des castagnettes! Vos conditions, Monseigneur?

L'EVEQUE.—Ce jour-là, il fallait danser. Quant à la peau de lapin, si elle est ce qu'elle doit être: l'image sacrée de l'hermine: elle en a la puissance indiscutable.

LE CHEF DE LA POLICE.—Pour le moment.

L'EVEQUE *(s'échauffant).*—Justement. Tant que nous étions dans une chambre de bordel, nous appartenions à notre propre fantaisie: de l'avoir exposée, de l'avoir nommée, de l'avoir publiée, nous voici liés avec les hommes, liés à vous, et contraints de continuer cette aventure selon les lois de la visibilité.

LE CHEF DE LA POLICE.—Vous n'avez aucun pouvoir. Moi seul...

L'EVEQUE.—Alors, nous rentrons dans nos chambres y poursuivre la recherche d'une dignité absolue. Nous y étions bien et c'est vous qui êtes venu nous en tirer. Car c'était un bon état. Une situation de tout repos: dans la paix, dans la douceur, derrière des volets, derrière des rideaux molletonnés, protégés par des femmes attentives, protégés par une police qui protège les boxons, nous pouvions être juge, général, évêque, jusqu'à la perfection et jusqu'à la jouissance! De cet état adorable, sans malheur, vous nous avez tirés brutalement.

LE GENERAL *(interrompant l'Evêque).*—Ma culotte! Quand j'enfilais ma culotte, quel bonheur! A présent, je dors avec ma culotte de

[25] **dépiauté** skinned. *Deprived of their clothes they are deprived of an essential part of themselves*

général, je mange avec ma culotte, je valse—quand je valse!—dans ma culotte, je vis dans ma culotte de général. Je suis général comme on est évêque!

LE JUGE.—Je ne suis qu'une dignité représentée par un jupon.

LE GENERAL *(à l'Evêque)*.—A aucun moment je ne peux me préparer!—autrefois c'était un mois à l'avance!—me préparer à enfiler ma culotte ni mes bottes de général. Je les ai, pour l'éternité, autour des pattes.[26] Je ne rêve plus, ma parole. 5

L'EVEQUE *(au Chef de la Police)*.—Vous voyez, il ne rêve plus. La pureté ornementale, notre luxueuse et stérile—et sublime—apparence est rongée. Elle ne se retrouvera plus: soit. Mais cette douceur amère de la responsabilité, son goût nous est resté et nous le trouvons agréable. Nos chambres ne sont plus secrètes. Vous parliez de danser? Vous évoquiez cette soirée fameuse où dépouillé—ou dépiauté, prenez le mot qui vous amuse—de nos ornements sacerdotaux, nous avons dû danser nu sur les places espagnoles. J'ai dansé, je le reconnais, sous les rires, mais au moins je dansais. Tandis qu'à présent si un jour j'en ai envie, il faudra qu'en cachette je me rende au Balcon, où il doit y avoir une chambre préparée pour les prélats qui se veulent ballerines quelques heures par semaine. Non, non.... Nous allons vivre dans la lumière, mais avec ce que cela implique. Magistrat, soldat, prélat, nous allons agir afin de réduire sans cesse nos ornements! Nous allons les faire servir! Mais pour qu'ils servent, et nous servent—puisque c'est votre ordre que nous avons choisi de défendre, il faut que vous les reconnaissiez le premier et leur rendiez hommage. 10 15 20 25

LE CHEF DE LA POLICE *(calme)*.—Non le cent millième reflet d'un miroir qui se répète, je serai l'Unique, en qui cent mille veulent se confondre. Sans moi vous étiez tous foutus.[27] Et l'expression «à plates coutures»[28] avait un sens. *(Il va reprendre de plus en plus d'autorité.)* 30

LA REINE *(à l'Evêque, insinuante)*.—C'est vous ce soir qui portez

[26] **je les ai ... pattes** I'm caught in them for eternity
[27] **vous étiez tous foutus** you would have all had it
[28] **à plates coutures** flat as a pancake

cette robe, parce que vous n'avez pas pu déguerpir[29] à temps de mes salons. Vous n'arriviez pas à vous arracher d'un de vos cent mille reflets, mais la clientèle rapplique... On ne se bouscule pas encore, mais Carmen a enregistré plusieurs entrées...
5 *(Au Chef de la Police.)* Ne te laisse pas intimider. Avant la révolte ils étaient nombreux... *(A l'Evêque.)* Si vous n'aviez pas eu l'idée abominable de faire assassiner Chantal...

L'EVEQUE *(faussement apeuré).*—Balle perdue![30]

LA REINE.—Perdue ou non la balle, Chantal a été assassinée sur le
10 Balcon, sur MON Balcon! Alors qu'elle revenait ici pour me voir, pour revoir sa patronne...

L'EVEQUE.—J'ai eu la présence d'esprit d'en faire une de nos saintes.[31]

LE CHEF DE LA POLICE.—Attitude traditionnelle. Réflexe d'homme d'église. Mais il ne faut pas vous en féliciter. Son image, clouée
15 sur notre drapeau n'a guère de pouvoir. Ou plutôt... on me rapporte de partout que d'avoir pu prêter à équivoque, Chantal est condamnée par ceux qu'elle devait sauver...

LA REINE *(inquiète).*—Mais alors, tout recommence!

A partir de cet instant la Reine et le Chef de la Police
20 *paraîtront très agités. La Reine ira tirer les rideaux d'une fenêtre après avoir essayé de regarder dans la rue.*

L'ENVOYE.—Tout.[32]

LE GENERAL.—Il va falloir... remonter en carrosse? La lenteur du carrosse!

25 L'EVEQUE.—Chantal, si je l'ai fait abattre, puis canoniser, si j'ai fait écarteler son image sur le drapeau...

LA REINE.—C'est mon image qui devrait s'y trouver...

L'ENVOYE.—Vous êtes déjà sur les timbres-poste, sur les billets de banque, sur les cachets des commissariats.

[29] **déguerpir** to beat it
[30] **balle perdue** a stray bullet
[31] *In Brecht's* Saint Joan of the Stockyards *we find a similar situation: the heroine dies a martyr's death for the workers and is transformed into a symbol by the capitalists.*
[32] *The Envoy knows that this is just part of a cyclical process that will recur over and over again.*

LE GENERAL.—La lenteur du carrosse...

LA REINE.—Je ne serai donc jamais qui je suis?

L'ENVOYE.—Jamais plus.

LA REINE.—Chaque événement de ma vie: mon sang qui perle si je m'égratigne... 5

L'ENVOYE.—Tout s'écrira pour vous avec une majuscule.[33]

LA REINE.—Mais c'est la Mort?

L'ENVOYE.—C'est Elle.

LE CHEF DE LA POLICE *(soudain autoritaire)*.—Pour vous tous, c'est la Mort, et c'est pourquoi je suis sûr de vous. Au moins tant que 10 je ne serai pas représenté. Car après, je n'aurai plus qu'à me reposer. *(Inspiré.)* D'ailleurs, à une soudaine faiblesse de mes muscles, je saurai que mon image s'échappe de moi et va hanter les hommes. Alors, ma fin visible sera prochaine. Pour le moment, et s'il faut agir... *(A l'Evêque.)* qui prendra de véritables 15 responsabilités? Vous? *(Il hausse les épaules.)* Soyez logiques: si vous êtes ce que vous êtes, juge, général, évêque, c'est que vous avez désiré le devenir, et désiré qu'on sache que vous l'êtes devenu. Vous avez donc fait ce qu'il fallait pour vous porter là, et vous y porter aux yeux de tous. C'est cela? 20

LE GENERAL.—A peu près.

LE CHEF DE LA POLICE.—Bien. Vous n'avez donc jamais accompli un acte pour l'acte lui-même, mais toujours pour que cet acte, accroché à d'autres, fasse un évêque, un juge, un général...[34]

L'EVEQUE.—C'est vrai et c'est faux. Car chaque acte contenait en lui- 25 même son ferment de nouveauté.

LE JUGE.—Nous en acquérions une dignité plus grave.

LE CHEF DE LA POLICE.—Sans doute, monsieur le Juge, mais cette dignité, qui est devenue aussi inhumaine qu'un cristal, vous rend impropre au gouvernement des hommes. Au-dessus de 30 vous, plus sublime que vous, il y a la Reine. C'est d'elle que,

[33] **avec une majuscule** in capital letters. *Everything will take on an absolute significance.*

[34] *Despite their earlier quest for purity, they have been incapable of a pure act.*

pour le moment, vous tirez votre pouvoir et votre droit. Au-dessus d'elle, à qui elle se réfère, il y a notre étendard où j'ai fait écarteler l'image de Chantal victorieuse, notre sainte.

L'EVEQUE *(agressif)*.—Au-dessus de Sa Majesté—que nous vénérons—
5 et de son drapeau, il y a Dieu, qui parle par ma voix.

LE CHEF DE LA POLICE *(irrité)*.—Et au-dessus de Dieu? *(Silence.)* Eh bien messieurs, il y a vous, sans qui Dieu ne serait rien? Et au-dessus de Vous, il y a Moi, sans qui...

LE JUGE.—Et le peuple? Les photographes?

10 LE CHEF DE LA POLICE.—A genoux devant le peuple qui est à genoux devant Dieu, donc...

Tous éclatent de rire.[35]

C'est pourquoi je veux que vous me serviez. Mais, tout à l'heure vous parliez bien? Je dois donc rendre hommage à votre élo-
15 quence, à votre facilité d'élocution, à la limpidité de votre timbre, à la puissance de votre organe. Or je n'étais qu'un homme d'action, empêtré dans mes mots et dans mes idées quand elles ne sont pas immédiatement appliquées, c'est pourquoi, je me demande si je vous renverrais à la niche. Je ne le ferai pas. En
20 tous cas, pas tout de suite, car... vous y êtes déjà.[36]

LE GENERAL.—Monsieur!

LE CHEF DE LA POLICE *(Il pousse le général qui culbute et reste assis par terre, ahuri)*.—Couché![37] Couché, mon Général!

LE JUGE.—Ma jupe peut se retrousser...

25 LE CHEF DE LA POLICE *(Il pousse le Juge qui culbute)*.—Couché! Puisque vous désirez être reconnu comme juge, vous voulez le demeurer selon l'idée que j'en ai? Et selon le sens général qui s'attache à vos dignités. Bien. Il faut donc que j'aille vers toujours plus de reconnaissance[38] en ce sens. Oui ou non?

[35] *They all laugh because the megalomania of the Police Chief has nearly led him to say that God would be on His knees before him.*

[36] *In other words, they are nothing but images, even now when they think themselves in the world of reality, of action.*

[37] **Couché!** Down!, *command one gives to a dog*

[38] **reconnaissance** *in the sense of* recognition *and not* gratitude

Personne ne répond.

Eh bien? Oui ou non?

L'Evêque s'écarte, prudemment.

LA REINE *(mielleuse).*—Excusez-le, s'il s'emporte. Je sais bien, moi, messieurs, ce que vous veniez chercher chez moi: vous, Monseigneur, par des voies rapides, décisives, une évidente sainteté. L'or de mes chasubles était pour peu de chose, j'en suis sûre. Ce n'est pas une grossière ambition qui vous amenait derrière mes volets fermés. L'Amour de Dieu s'y trouvait caché. Je le sais. Vous, monsieur le Procureur, vous étiez bel et bien guidé par un souci de justice puisque c'est l'image d'un justicier que vous vouliez voir renvoyée mille fois par mes glaces, et vous, Général, c'est la gloire militaire, c'est le courage et le fait héroïque qui vous hantaient. Alors, laissez-vous aller, doucement, sans trop de scrupules...   5 10 15

Les uns après les autres, les trois hommes laissent fuser un immense soupir.[39]

LE CHEF DE LA POLICE.—Cela vous soulage, n'est-ce pas? En réalité, vous ne teniez pas à sortir de vous-même, ni à communiquer, fût-ce par des actes méchants, avec le monde.[40] Je vous comprends. *(Amical.)* Mon personnage, hélas, est encore en mouvement. Bref, comme vous devez le savoir, il n'appartient pas à la nomenclature des bordels.   20

LA REINE.—Au guide rose.

LE CHEF DE LA POLICE.—Oui, au guide rose. *(Aux Trois Figures.)* Voyons, messieurs, vous n'auriez pas pitié du pauvre homme que je suis? *(Il les regarde tour à tour.)* Voyons, messieurs, votre cœur serait donc sec? C'est pour vous, que furent mis au point, par d'exquis tâtonnements, ces salons et ces Rites illustres. Ils ont nécessité un long travail, une infinie patience, et vous remonteriez à l'air libre? *(Presqu'humblement et paraissant sou-*   25 30

[39] *They are obviously very relieved at finding an excuse for abdicating their function and accepting themselves as images.*

[40] *They all sought their purity in solitude, just as the pleasure they seek is known as a solitary one.*

dain trés fatigué.) Attendez encore un peu. Pour le moment, je suis encore bourré d'actes à venir, bourré d'actions... mais dès que je me sentirai me multiplier infiniment, alors... alors, cessant d'être dur, j'irai pourrir dans les consciences. Et vous, alors, retrouvez vos jupons si vous voulez, et mettez-vous en route pour le boulot.[41] *(A l'Evêque.)* Vous vous taisez... *(Un long silence.)* Vous avez raison... Taisons-nous, et attendons... *(Un long et lourd silence.)*... C'est peut-être maintenant... *(à voix basse et humble)* que se prépare mon apothéose...

Tout le monde attend, c'est visible. Puis, comme furtivement, par la porte de gauche, paraît Carmen. C'est d'abord l'Envoyé qui la voit, il la montre silencieusement à la Reine. La Reine fait signe à Carmen de se retirer, mais Carmen au contraire avance d'un pas.

LA REINE *(à voix presque basse).*—J'avais interdit qu'on nous dérange. Que veux-tu?

Carmen s'approche.

CARMEN.—J'ai voulu sonner, mais les dispositifs ne fonctionnent pas bien. Excusez-moi. Je voudrais vous parler.

LA REINE.—Eh bien oui, parle, décide-toi.

CARMEN *(hésitant).*—C'est... je ne sais pas...

LA REINE *(résignée).*—Alors, à la Cour comme à la Cour, et parlons bas.

Elle prête ostensiblement l'oreille à Carmen qui se penche et murmure quelques mots. La Reine paraît très troublée.

LA REINE.—Tu es sûre?

CARMEN.—Oui, madame.

La Reine, précipitamment sort à gauche, suivie de... Carmen. Le Chef de la Police veut les suivre, mais l'Envoyé intervient.

L'ENVOYE.—On ne suit pas Sa Majesté.

LE CHEF DE LA POLICE.—Mais que se passe-t-il? Où va-t-elle?

[41] **boulot** *(slang)* work

L'ENVOYE *(ironique)*.—Broder. La Reine brode et elle ne brode pas... Vous connaissez le refrain? La Reine gagne sa réalité quand elle s'éloigne, s'absente, ou meurt.

LE CHEF DE LA POLICE.—Et dehors, que se passe-t-il? *(Au Juge.)* Vous avez des nouvelles? 5

LE JUGE.—Ce que vous nommez le dehors est aussi mystérieux pour nous que nous le sommes pour lui.

L'EVEQUE.—Je tâcherai de vous dire la désolation de ce peuple qui croyait, en se révoltant, s'être libéré. Hélas—ou plutôt grâce au ciel!—il n'y aura jamais de mouvement assez puissant pour dé- 10 truire notre imagerie.

LE CHEF DE LA POLICE *(presque tremblant)*.—Vous croyez donc que j'ai ma chance?

L'EVEQUE.—Vous êtes on ne peut mieux placé.[42] Partout, dans toutes les familles, dans toutes les institutions, c'est la consternation. 15 Les hommes ont tremblé si fort que votre image commence à les faire douter d'eux-mêmes.

LE CHEF DE LA POLICE.—Ils n'ont plus d'espoir qu'en moi?

L'EVEQUE.—Ils n'ont plus d'espoir qu'en un naufrage définitif.[43]

LE CHEF DE LA POLICE.—En somme je suis comme un étang où ils 20 viendraient se regarder?

LE GENERAL *(ravi, et éclatant de rire)*.—Et s'ils se penchent un peu trop, ils tombent et se noient. D'ici peu vous serez plein de noyés!

Personne ne semble partager sa gaieté. 25

Enfin... ils ne sont pas encore au bord!... *(Gêné.)* Attendons.

Un silence.

LE CHEF DE LA POLICE.—Vous pensez vraiment que le peuple a connu un espoir fou? Et que perdant tout espoir il perdrait tout? Et que perdant tout il viendra se perdre en moi?... 30

[42] **vous êtes ... placé** you couldn't be in a better position
[43] ***Previously the people had hoped in the church, the judiciary, and the army. Now, deprived of all hope, they are ready to immolate themselves by accepting the destructive situation of a dictatorship. Thus, the apotheosis of the Police Chief is at hand.***

L'EVEQUE.—Cela risque de se produire. Et c'est à notre corps défendant,[44] croyez-le.

LE CHEF DE LA POLICE.—Quand cette consécration définitive me sera offerte...

5 L'ENVOYE *(ironique)*.—Pour vous, mais pour vous seul, pendant une seconde la Terre cessera de tourner.

Soudain la porte de gauche s'ouvre, et paraît la Reine rayonnante.

LA REINE.—Georges! *(Elle tombe dans les bras du Chef de la Police.)*

10 LE CHEF DE LA POLICE *(incrédule)*.—Ce n'est pas vrai?

La Reine fait avec la tête le signe «oui».

Mais où?... Quand?

LA REINE *(très émue)*.—Là!... Maintenant... salon...

LE CHEF DE LA POLICE.—Tu te fiches de moi,[45] je n'ai rien entendu?

15 *Soudain une sonnerie énorme, une sorte de carillon.*

Alors, c'est vrai? C'est pour moi? *(Il repousse la Reine, et solennel alors que la sonnerie s'est arrêtée.)* Messieurs, j'appartiens à la Nomenclature! *(A la Reine.)* Mais, tu es sûre, au moins?

La sonnerie reprend, puis elle s'arrête.

20 LA REINE.—C'est moi qui l'ai reçu et qui l'ai introduit dans le Salon du mausolée. Celui qu'on construisait en ton honneur. J'ai laissé Carmen faire les préparatifs, et j'ai couru pour te prévenir. Je suis en nage...[46]

La sonnerie reprend, puis s'arrête.

25 L'EVEQUE *(sombre)*.—Nous sommes foutus.[47]

LE CHEF DE LA POLICE.—Les dispositifs fonctionnent. On peut voir... *(Il se dirige à gauche, suivi de la Reine.)*

L'ENVOYE.—Ce n'est pas l'usage... C'est sale...

[44] **à notre corps défendant** in self-defense
[45] **tu te fiches de moi** you're kidding me
[46] **en nage** bathed in perspiration
[47] **nous sommes foutus** we've been had

LE CHEF DE LA POLICE *(haussant les épaules).*—Où est le mécanisme? *(A la Reine.)* Regarde avec moi.

Il se place à gauche, en face d'une petite lucarne. Après une courte hésitation, le Juge, le Général et l'Evêque se placent à droite, à une autre lucarne, symétrique à la pre- mière. Puis, très silencieusement, le double miroir formant le fond de la scène s'écarte et montre l'intérieur du Salon Spécial. Résigné, à son tour, l'Envoyé va se placer auprès de la Reine et du Chef de la Police. 5

DESCRIPTION DU SALON DU MAUSOLEE 10

Quelque chose comme l'intérieur d'une tour — ou d'un puits. Les pierres du mur, circulaire, sont visibles. Un escalier, dans le fond, descend. Au centre de ce puits, semble s'en trouver un autre, où s'amorce un escalier. Aux murs, quatre couronnes de laurier, ornées d'un crêpe.[48] 15 *Quand le panneau s'est écarté, Roger est au milieu de l'escalier, qu'il descend. Carmen semble le guider. Roger est vêtu comme le Chef de la Police, mais, monté sur les mêmes patins que les Trois Figures, il paraît plus grand. Ses épaules aussi sont élargies. Il descend l'escalier au son* 20 *d'un tambour qui rythme*[49] *sa descente.*

CARMEN *(s'approchant et lui tendant un cigare).*—Offert par la maison.[50]

ROGER *(Il met le cigare à sa bouche).*—Merci.

CARMEN *(intervenant).*—Le feu: là. Ici, la bouche. *(Elle tourne le* 25 *cigare dans le bon sens).*[51] C'est votre premier cigare?

ROGER.—Oui... *(Un temps.)* Je ne te demande pas ton avis. Tu es là pour me servir. J'ai payé...

[48] *The laurel wreath is the symbol of the hero and black crêpe that of mourning.*

[49] **rythme** plays to the rhythm of

[50] *a humorous touch. This could be translated freely as* with the compliments of the house.

[51] **dans le bon sens** the right way around

CARMEN.—Excusez-moi, monsieur.

ROGER.—L'esclave?

CARMEN.—On le détache.

ROGER.—Il est au courant?

5 CARMEN.—De tout. Vous êtes le premier, vous inaugurez ce salon, mais vous savez, les scenarios sont tous réductibles à un thème majeur...

ROGER.—Et c'est?

CARMEN.—La mort.

10 ROGER *(touchant les murs)*.—Ainsi, c'est mon tombeau?

CARMEN *(rectifiant)*.—Mausolée.

ROGER.—Combien d'esclaves y travaillent?

CARMEN.—Le peuple entier, monsieur. Une moitié de la population, la nuit, l'autre le jour. Comme vous l'avez demandé, c'est toute
15 la montagne qui sera ouvragée. L'intérieur aura la complexité d'un nid de termites ou de la basilique de Lourdes, on ne sait pas encore. Du dehors personne ne verra rien. On saura seulement que la montagne est sacrée, mais dedans, déjà les tombeaux s'enchâssent dans les tombeaux, les cénotaphes[52] dans
20 les cénotaphes, les cercueils dans les cercueils, les urnes...[53]

ROGER.—Et là, où je suis?

CARMEN *(geste de dénégation)*.—Une antichambre. Une antichambre qui se nomme Vallée de los Caïdos.[54] *(Elle monte l'escalier souterrain.)* Tout à l'heure, vous descendrez plus bas.

25 ROGER.—Je ne dois pas espérer remonter à l'air?

CARMEN.—Mais... vous en auriez gardé l'envie?

Un silence.

[52] *A cenotaph is an empty tomb raised in honor of a hero whose body has disappeared.*

[53] *funeral urns that contain the ashes of the dead*

[54] *The Valley of the Fallen in Spain, near the Escurial, is the site of the immense mausoleum that Franco had erected ostensibly as a monument to the heroes of the Civil War, but actually in his own honor. Forced labor was used in its construction. Obviously, Genet was thinking of the Spanish dictator in his portrayal of the Police Chief.*

ROGER.—Vraiment, personne n'est venu avant moi?

CARMEN.—Dans ce... tombeau, ou dans ce... salon?

Un silence.

ROGER.—Il n'y a vraiment rien qui cloche?[55] Mon costume? Ma perruque? 5

Auprès de sa lucarne, le Chef de la Police se tourne vers la Reine.

LE CHEF DE LA POLICE.—Il savait que je porte perruque?

L'EVEQUE *(ricanant, au Juge et au Général).*—Lui seul ne sait pas qu'on le sait. 10

CARMEN *(à Roger).*—Il y a longtemps qu'on y a réfléchi. Tout est au point.[56] C'est à vous de faire le reste.

ROGER *(inquiet).*—Tu sais, je cherche, moi aussi. Il faut que je me fasse une idée du Héros, et Il ne s'est jamais beaucoup manifesté.

CARMEN.—C'est pourquoi nous vous avons conduit au Salon du Mausolée. Ici, pas trop d'erreurs possibles, ni de fantaisies. 15

Un temps.

ROGER.—Je serai seul?

CARMEN.—Tout est calfeutré. Les portes sont capitonnées, les murs aussi. 20

ROGER *(hésitant).*—Et... le mausolée?

CARMEN *(avec force).*—Taillé dans le roc. La preuve, l'eau qui suinte des parois. Le silence? Mortel. La lumière? L'obscurité est si compacte que vos yeux ont su développer des qualités incomparables. Le froid? Oui, celui de la mort. Un travail gigantesque 25 a forcé le massif. Les hommes continuent à gémir pour vous creuser une niche de granit. Tout prouve que vous êtes aimé et vainqueur.

ROGER.—A gémir? Est-ce que... est-ce que je pourrai entendre des gémissements? 30

[55] **qui cloche** that is out of tune
[56] **au point** perfect

Elle se tourne vers un trou percé au pied de la muraille et d'où sort la tête du Mendiant, celui qu'on a vu au 8e tableau. Il est maintenant l'Esclave.

CARMEN.—Approche!

5 *L'Esclave entre en rampant.*

ROGER *(considérant l'esclave).*—C'est ça?

CARMEN.—Il est beau, n'est-ce pas? Il est maigre, il a des poux et des plaies. Il rêve de mourir pour vous. Maintenant, je vous laisse seul?

10 ROGER.—Avec lui? Non, non. *(Un temps.)* Reste. Tout se passe toujours en présence d'une femme. C'est pour que le visage d'une femme soit témoin, que, d'habitude...

Soudain on entend un bruit de marteau frappant sur une enclume, puis un coq chanter.

15 La vie est si proche?

CARMEN *(voix normale, non jouée).*—Je vous l'ai dit, tout est calfeutré, mais les bruits réussissent toujours à filtrer. Cela vous gêne? La vie reprend peu à peu... comme avant...

ROGER *(Il paraît inquiet).*—Oui, comme avant...

20 CARMEN *(avec douceur).*—Vous étiez?

ROGER *(très triste).*—Oui. Tout est foutu.[57] Et le plus triste c'est qu'on dit: «la révolte était belle!»

CARMEN.—Il ne faut plus y penser. Et ne plus écouter les bruits du dehors. D'ailleurs, il pleut. Sur toute la montagne une tornade
25 s'est abattue. *(Voix jouée.)* Ici vous êtes chez vous. *(Montrant l'esclave.)* Faites-le parler.

ROGER *(à l'esclave et jouant son rôle[58]).*—Car tu sais parler? Et faire quoi d'autre, encore?

L'ESCLAVE *(couché sur le ventre).*—D'abord me courber, puis me

[57] **tout est foutu** everything's gone to hell
[58] *This scene could be compared to another depiction of a master-slave relationship — the two Pozzo-Lucky scenes in Beckett's* Waiting for Godot.

tasser un peu plus. *(Il prend le pied de Roger et le pose sur son propre dos:)* comme ceci!... et même...

ROGER *(impatient)*.—Oui... et même?

L'ESCLAVE.—M'enliser, si c'est possible.

ROGER *(tirant sur son cigare)*.—T'enliser, vraiment? Mais, il n'y a pas de boue? 5

LA REINE *(parlant à la cantonade*[59]*)*.—Il a raison. Nous aurions dû prévoir la boue. Dans une maison bien tenue...[60] Mais c'est le jour d'ouverture, et il étrenne[61] le Salon...

L'ESCLAVE *(à Roger)*.—Je la sens tout autour de mon corps, monsieur. 10 J'en ai partout, excepté dans ma bouche, ouverte pour qu'en sortent vos louanges, et ces gémissements qui me rendirent célèbre.

ROGER.—Célèbre, tu es célèbre, toi?

L'ESCLAVE.—Célèbre par mes chants,[62] monsieur, mais qui disent 15 votre gloire.

ROGER.—Ta gloire accompagne donc la mienne. *(A Carmen.)* Il veut dire que ma réputation sera nécessairement portée par ses paroles? Et... s'il se tait je n'existerai plus?...

CARMEN *(sèche)*.—Je voudrais bien vous satisfaire, mais vous posez 20 des questions qui ne sont pas prévues dans le scénario.

ROGER *(à l'Esclave)*.—Mais toi, qui te chante?

L'ESCLAVE.—Personne. Je meurs.

ROGER.—Mais sans moi, sans ma sueur, sans mes larmes, ni mon sang, que serais-tu? 25

[59] **parlant à la cantonade** speaking "aside"
[60] **bien tenue** well run
[61] **il étrenne** he is christening
[62] *Here the role of singing is very different from that in the earlier scene between Chantal and Roger (see note 11, p. 88.) In the original version of* Le Balcon *Genet writes as follows of the subjects of this second type of poetry: "Désincarnés, ils deviennent intouchables. Comment les approcher, les aimer, les vivre, s'ils sont expédiés si magnifiquement loin? Ecrits, parfois somptueusement, ils deviennent les signes constitutifs d'un poème, la poésie étant nostalgie et le chant détruisant son prétexte, nos poètes tuent ce qu'ils voulaient faire vivre."*

L'Esclave.—Rien.

Roger *(à l'Esclave)*.—Tu chantes? Mais que fais-tu encore?

L'Esclave.—Nous faisons tout notre possible pour être toujours plus indigne de vous.

5 Roger.—Quoi, par exemple?

L'Esclave.—Nous nous efforçons de pourrir sur pied. Et ce n'est pas toujours facile, croyez-moi. La vie voudrait être la plus forte... Mais nous tenons bon. Nous diminuons un peu plus chaque...

Roger.—Jour?

10 L'Esclave.—Semaine.

Le Chef de la Police *(à la cantonade)*.—C'est peu. Avec un peu d'effort...

L'Envoye *(au Chef de la Police)*.—Silence. Laissez-les aller jusqu'au bout de leur rôle...

15 Roger.—C'est peu. Avec un peu d'effort...

L'Esclave *(exalté)*.—Avec joie, Excellence. Vous êtes si beau. Si beau que je me demande si vous resplendissez ou si vous êtes toute l'ombre de toutes les nuits?

Roger.—Quelle importance, puisque je ne dois plus avoir de réalité
20 que dans la réalité de tes phrases.

L'Esclave *(se traînant en direction de l'escalier ascendant)*.—Vous n'avez ni bouche, ni yeux, ni oreilles, mais tout en vous n'est qu'une bouche qui tonne, en même temps qu'un œil qui étonne et qui veille...

25 Roger.—Tu le vois toi, mais, les autres le savent-ils? La nuit le sait-elle? La mort? Les pierres? Les pierres, que disent les pierres?

L'Esclave *(se traînant toujours sur le ventre, et commençant à monter—en rampant—l'escalier)*.—Les pierres disent...

Roger.—Eh bien, j'écoute?

30 L'Esclave *(s'arrêtant de ramper, tourné vers le public)*.—Le ciment qui nous tient attachées les unes aux autres pour former ton tombeau...[63]

[63] *Here the stones are speaking.*

LE CHEF DE LA POLICE *(tourné vers le public, et se frappant la poitrine, joyeux).*—Les pierres me tutoient!

L'ESCLAVE *(enchaînant).*—... le ciment est pétri de larmes, de crachats et de sang. Posés sur nous, les yeux et les mains des maçons nous ont collé le chagrin. Nous sommes à toi, et rien qu'à toi. *(L'Esclave reprend son ascension.)* 5

ROGER *(s'exaltant de plus en plus).*—Tout parle de moi! Tout respire et tout m'adore! Mon histoire fut vécue afin qu'une page glorieuse soit écrite, puis lue. Ce qui compte, c'est la lecture. *(Soudain s'apercevant que l'Esclave a disparu, à Carmen:)* Mais... où 10 va-t-il?... Où est-il?...

CARMEN.—Chanter. Il remonte à l'air. Il dira... qu'il a porté vos pas...[64] et que...

ROGER *(inquiet).*—Oui, et que?... Que dira-t-il d'autre?

CARMEN.—La vérité: que vous êtes mort, ou plutôt que vous n'ar- 15 rêtez pas de mourir et que votre image, comme votre nom, se répercute à l'infini.

ROGER.—Il sait que mon image est partout?

CARMEN.—Inscrite, gravée, imposée par la peur, elle est partout.

ROGER.—Dans la paume des dockers? Dans les jeux des gamins? Sur 20 les dents des soldats? Dans la guerre?

CARMEN.—Partout.

LE CHEF DE LA POLICE *(à la cantonade).*—J'ai donc gagné?

LA REINE *(attendrie).*—Tu es heureux?

LE CHEF DE LA POLICE.—Tu as bien travaillé. Ta maison est au point. 25

ROGER *(à Carmen).*—Elle est dans les prisons? Dans les rides des vieillards?

CARMEN.—Oui.

ROGER.—Dans la courbe des chemins?

CARMEN.—Il ne faut pas demander l'impossible. 30

[64] *because he had placed Roger's foot on his back*

Même bruit que tout à l'heure: le coq et l'enclume.[65]

Il est temps de partir, monsieur. La séance est finie. Pour sortir, vous prendrez à gauche. Le couloir...

On entend le bruit de l'enclume encore, et un peu plus fort.

Vous entendez? Il faut rentrer... Qu'est-ce que vous faites?

ROGER.—La vie est à côté... et elle est très loin. Ici, toutes les femmes sont belles... Elles ne servent à rien d'autre qu'à être belles. On peut se perdre en elles...

CARMEN *(sèche)*.—Oui. Dans la langue courante on nous appelle des putains. Mais il faut rentrer...

ROGER.—Pour aller où? Dans la vie? Reprendre comme on dit, mes occupations...

CARMEN *(un peu inquiète)*.—Je ne sais pas ce que vous faites, et je n'ai pas le droit de me renseigner. Mais vous devez partir. L'heure est passée.

Le bruit de l'enclume et d'autres bruits indiquant une activité: claquement de fouet, bruit de moteur, etc.

ROGER.—On se presse dans ta maison. Pourquoi veux-tu que je retourne d'où je viens?

CARMEN.—Vous n'avez plus rien à faire...

ROGER.—Là-bas? Non. Plus rien. Ici non plus, d'ailleurs. Et dehors, dans ce que tu nommes la vie, tout a flanché. Aucune vérité n'était possible... Tu connaissais Chantal?

CARMEN *(soudain effrayée)*.—Partez! Allez-vous-en vite!

LA REINE *(irritée)*.—Je ne permettrai jamais qu'il fiche la pagaïe[66] dans mes salons! Qui est-ce qui m'a envoyé cet individu? Tou-

[65] *It is unlikely, however tempting such an interpretation would be, that the crowing of the rooster has any specifically Christian or other symbolic significance here. It is one of the familiar noises that reminds the spectator, as well as Roger, of the outside world. It is possible, of course, that the author chose this sound to give an added dimension, a sort of biblical overtone, to this scene. If this is the case, one could also argue that the sound of the anvil, through its Wagnerian implications, adds an epic tone to the whole scene.*

[66] **il fiche la pagaïe** he raises hell

jours, après les troubles, la pègre s'en mêle.[67] J'espère que Carmen...

CARMEN *(à Roger).*—Partez! Vous non plus vous n'avez pas le droit de me poser des questions. Vous le savez qu'un règlement très strict régit les bordels, et que la police nous protège. 5

ROGER.—Non! Puisque je joue au Chef de la Police, et puisque vous m'autorisez à l'être ici...

CARMEN *(le tirant).*—Vous êtes fou! Et vous ne seriez pas le premier qui croit être arrivé au pouvoir... Venez!

ROGER *(se dégageant).*—Si le bordel existe, et si j'ai le droit d'y venir, 10 j'ai le droit d'y conduire le personnage que j'ai choisi, jusqu'à la pointe de son destin... non, du mien... de confondre son destin avec le mien...

CARMEN.—Ne criez pas, monsieur, tous les salons sont occupés. Venez... 15

ROGER.—Rien! Il ne me reste plus rien! Mais au Héros il ne restera pas grand chose...

Carmen essaye de le faire sortir. Elle ouvre une porte puis une autre, puis une autre... elle se trompe... Roger a sorti un couteau et le dos au public, fait le geste de se 20 *châtrer.*

LA REINE.—Sur mes tapis! Sur la moquette neuve! C'est un dément!

CARMEN *(dans un cri).*—Faire ça ici!... *(Elle crie.)* Madame! Madame Irma!... *(Enfin Carmen réussit à entraîner Roger.)*

La Reine sort en courant. Tous les personnages: le Chef 25 *de la Police, l'Envoyé, le Juge, le Général, l'Evêque, se retournent, quittant les lucarnes. Le Chef de la Police s'avance au milieu de la scène.*

LE CHEF DE LA POLICE.—Bien joué. Il a cru me posséder. *(Il porte la main à sa braguette, soupèse très manifestement ses couilles,*[68] 30 *et rassuré, pousse un soupir.)* Les miennes sont là. Alors, qui de

[67] **la pègre s'en mêle** the mobsters move in
[68] **couilles** *(very crude)* testicles

nous deux est foutu?[69] Lui ou moi? Et si dans chaque bordel du monde entier, mon image était châtrée, moi, je reste intact. Intact, messieurs. *(Un temps.)* Ce plombier ne savait pas jouer, voilà tout. *(Il appelle, joyeux:)* Irma! Irma!... Où est-elle? Ce n'est pas à elle de faire des pansements.

LA REINE *(entrant).*—Georges! Le vestibule!... Les tapis sont couverts de sang... le vestibule est plein de clients... On éponge comme on peut. Carmen ne sait plus où les placer...

L'ENVOYE *(s'inclinant devant le Chef de la Police).*—Beau travail.

LE CHEF DE LA POLICE.—Une image de moi va se perpétuer en secret. Mutilée? *(Il hausse les épaules.)* Une messe basse[70] pourtant, sera dite à ma gloire. Qu'on prévienne les cuisines! Qu'on m'envoie pour deux mille ans de boustifaille![71]

LA REINE.—Et moi? Georges! Mais je suis encore vivante!...

LE CHEF DE LA POLICE *(sans l'entendre).*—Alors... Je suis... Où? Ici, ou... mille fois là-bas? *(Il montre le tombeau.)* Maintenant je vais pouvoir être bon... et pieux... et juste... Vous avez vu? Vous m'avez vu? Là, tout à l'heure, plus grand que grand, plus fort que fort, plus mort que mort? Alors, je n'ai plus rien à faire avec vous.

LA REINE.—Georges! Mais je t'aime encore, moi!

LE CHEF DE LA POLICE *(se dirigeant vers le tombeau).*—J'ai gagné le droit d'aller m'asseoir et d'attendre deux mille ans. *(Aux photographes.)* Vous, regardez-moi vivre et mourir. Pour la postérité: feu!

Trois éclairs presque simultanés de magnésium.

Gagné!

Il entre dans le tombeau à reculons, très lentement, cependant que les trois photographes, désinvoltes, sortent par la coulisse de gauche, leur appareil sur le dos. Ils font un salut de la main, avant de disparaître.

[69] **est foutu** has had it
[70] *A low Mass is one which is said and not sung. In view of the importance of the idea of song in the whole play this detail seems significant.*
[71] **boustifaille** grub

LA REINE.—Mais c'est moi qui ai tout fait, tout organisé... Reste... Qu'est-ce que...

Soudain un crépitement de mitraillette.

Tu entends!

LE CHEF DE LA POLICE *(éclatant de rire)*.—Pensez à moi! 5

Le Juge et le Général se précipitent pour le retenir mais les portes commencent à se refermer cependant que le Chef de la Police descend les premières marches. Un deuxième crépitement de mitraillette.

LE JUGE *(s'accrochant à la porte)*.—Ne nous laissez pas seuls! 10

LE GENERAL *(morne)*.—Toujours ce carrosse!

L'ENVOYE *(au Juge)*.—Retirez vos doigts, vous allez rester coincé.

La porte s'est décidément refermée. Les personnages qui restent demeurent un instant désemparés. Un troisième crépitement de mitraillette. 15

LA REINE.—Messieurs, vous êtes libres...

L'EVEQUE.—Mais... en pleine nuit?...

LA REINE *(l'interrompant)*.—Vous passerez par la petite porte qui donne sur la ruelle. Une voiture vous attend.

Elle salue d'un signe de tête. Les Trois Figures sortent à droite. Un quatrième crépitement de mitraillette. 20

LA REINE.—Qui est-ce?... Les nôtres... ou des révoltés?... ou?...

L'ENVOYE.—Quelqu'un qui rêve, madame...[72]

La Reine se dirige vers différents points de la chambre et tourne un commutateur. Chaque fois une lumière s'éteint. 25

LA REINE *(sans s'interrompre d'éteindre)*.—... Irma. Appelez-moi madame Irma, et rentrez chez vous. Bonsoir, monsieur.

L'ENVOYE.—Bonsoir, madame Irma. *(Il sort.)*

IRMA *(seule, et continuant d'éteindre)*.—Que de lumières il m'aura

[72] *The Envoy is suggesting that all of this is the figment of someone's imagination, and that the outside world (the revolution) is as illusory as the world of images.*

fallu... mille francs d'électricité par jour!... Trente-huit salons!... Tous dorés, et tous, par machinerie, capables de s'emboîter les uns dans les autres, de se combiner... Et toutes ces représentations pour que je reste seule, maîtresse et sous-maîtresse de cette
5 maison et de moi-même... *(Elle éteint un commutateur, mais se ravise.)* Ah, non, ça c'est le tombeau, il a besoin de lumière pour deux mille ans!... Et pour deux mille ans de nourritures... *(elle hausse les épaules)* enfin, tout est bien agencé, et il y a des plats préparés: la gloire c'est de descendre au tombeau avec des
10 tonnes de victuailles!... *(Elle appelle, tournée vers la coulisse.)* Carmen?... Carmen?... Tire les verrous, mon chéri, et place les housses... *(Elle continue d'éteindre.)* Tout à l'heure, il va falloir recommencer... tout rallumer... s'habiller...

On entend le chant d'un coq.

15 s'habiller... ah, les déguisements! Redistribuer les rôles... endosser le mien...[73] *(Elle s'arrête au milieu de la scène, face au public.)*...[74] préparer le vôtre... juges, généraux, évêques, chambellans, révoltés qui laissez la révolte se figer, je vais préparer mes costumes et mes salons pour demain... il faut rentrer chez
20 nous, où tout, n'en doutez pas, sera encore plus faux qu'ici... Il faut vous en aller... Vous passerez à droite, par la ruelle... *(Elle éteint une dernière lumière.)* C'est déjà le matin.

Un crépitement de mitrailleuse.

RIDEAU

[73] *Everything will start all over again, and this evening was just one revolution of an eternal cycle. And it was nothing but illusion and playacting.*

[74] *These last words are spoken directly to the audience. If what this audience has seen is just illusion, so are the lives of the spectators (or readers), who have just taken part in the ritual that is the play. It is they who are the judges, generals, bishops, etc., and their world is the Balcony, the house of illusions.*

questions

1. Dans quelle mesure cette pièce est-elle l'expression d'une mystique de la cruauté?
2. L'hypothèse de Carmen comme directrice de la maison d'illusions rend possibles de nouvelles interprétations de la pièce. Lesquelles?
3. Pourquoi Roger est-il le premier à vouloir jouer le rôle de Chef de Police?
4. Quelle est la nature du rapport que l'auteur voudrait établir avec son public?
5. Quels sont les éléments sérieux, voire dangereux, dans le jeu que nous propose Genet?
6. Comment le style de l'auteur contribue-t-il à créer un jeu entre réalité et illusion?

vocabulaire

abaisser to lower
abattre to kill; **s'—** to come down
abîme *m.* abyss
abîmer to spoil
abord: d'— first
aboutir to end up
aboyer to bark
abréger to abridge
s'abstraire to engross oneself
acajou *m.* oxblood
accéder to reach
accorder to allow
accrocher to hang, hook
s'acharner to make an effort
acheter to buy
achever to finish
acier *m.* steel
acquérir to acquire
acquit *m.* receipt
acte *m.* deed
actionner to operate
admettre to admit
adresse *f.* skill
aérien airy
affaire: avoir — à to deal with
affoler to drive mad
affronter to face
agacer to annoy
agencer to arrange
s'agenouiller to kneel down
agir to act; **s'— de** to be a question of
agonie *f.* death throes
agrafer to hook up
agrandir to enlarge
ahuri stupefied
aider to help
aigle *m.* eagle
aile *f.* wing
ailleurs elsewhere; **d'—** moreover
aimable friendly
air *m.* appearance; **grand —** fresh air
ajouter to add
alerte *f.* alarm
aller to go; **— de soi** to go without saying
alliance *f.* wedding ring
allonger to stretch out
allumer to light
altier haughty
amande *f. pl.* almond
amarante purplish
amarres *f.* moorings
ambassade *f.* embassy
amble *m.* pace
âme *f.* soul
amener to bring

amer bitter
amiral *m.* admiral
amollir to soften
s'amorcer to start
ânerie *f.* stupidity
anneau *m.* ring
anodin lax, harmless
antériorité *f.* priority
apercevoir to notice, see
s'aplatir to fall flat on the floor
aplomb: d'— solid
apothéose *f.* deification
apparaître to appear
apparat *m.* state, pomp
appareil *m.* device, machine; **— photographique** camera
appartenir to belong
s'appliquer to apply oneself
apporter to carry, bring
apprendre to learn, teach
approcher to come near
approuver to be pleased with
appuyer to lean against, emphasize, push
arachide *f.* peanut
arc *m.* bow
archevêché *m.* archbishopric: archbishop's palace
argent *m.* money
arme *f.* weapon
arpenter to pace up and down
arracher to tear off, pull out
s'arranger to manage
arrêter to stop
ascenceur *m.* elevator
asseoir to seat
assez enough
assiéger to besiege
assister to attend
s'assoupir to doze off
assouvir to sate, appease
s'attarder to linger
atteindre to arrive at, reach
attelage *m.* harnessing
attendre to wait for
attendri fond, tender
atterré crushed, struck with consternation
attester to swear
attifer to dress up
attirail *m.* apparatus
attrister to sadden
aube *f.* dawn
aurore *f.* dawn
autant: d'— all the more
avancer to step forward
avant-hier the day before yesterday
averse *f.* shower
aveu *m.* confession; **passer aux —x** to confess
aveugler to blind
avis *m.* warning, opinion
s'aviser de to see to it, do something
aviver to light up
avoine *f.* oats
avouer to admit

babouche *f.* Turkish slipper
bac *m.* tank, vat, tub
badine *f.* switch
bagarre *f.* fight
bagué wearing a ring
bai, baie bay, chestnut, brown
baie *f.* bay window
baigner to bathe
baiser to kiss
baisser to lower
balcon *m.* balcony
balle *f.* bullet
bande *f.* strip; **— de gaze** bandage
bandelettes *f. pl.* wrappings (*of a mummy*)
bander to swathe
banquier *m.* banker
barbelé *m.* barbed wire
barrage *m.* dam
bas low, overcast, softly
bas *m.* stockings
bataille *f.* battle
bâtisseur *m.* builder
battement *m.* beating
battre to beat; **se —** to fight

baudrier *m.* crossbelt
bavard talkative
baver to slobber
bazar *m.* cheap store
béant gaping
bébé *m.* baby
bedaine *f.* paunch
bel et bien entirely
bénir to bless, give blessing
bercer to cradle
besoin *m.* need
bétail *m.* cattle
bête *f.* animal
bicorne *m.* two-pointed cocked hat
bijou *m.* jewel
billet de banque *m.* bank note
blague *f.* joke
blaguer to joke
blanc white, blank
blesser to wound
bleu blue
se blottir to snuggle
blouson *m.* jacket
bœuf *m.* ox
boire to drink
bois *m.* wood
boisson *f.* drink
boîte *f.* box
bonheur *m.* happiness
bonne *f.* maid
bonté *f.* goodness
bord *m.* brink
bordel *m.* brothel
border to tuck in
botte *f.* boot
botté in boots
bouche *f.* mouth
boucher to stop up, block
boucle *f.* loop, curl
boue *f.* mud
bouger to move, stir, budge
bouillir to boil
bourreau *m.* tormentor, executioner
bourrer to stuff
bousculer to jostle, hustle
bout *m.* tip, end; **au — de** after; **à — de** to the end of
bouteille *f.* bottle
boutonner to button
boyaux *m.* guts
braguette *f.* fly *(of trousers)*
brancard *m.* shaft *(of a carriage)*
bras *m.* arm
brettelles *f. pl.* suspenders
bride *f.* bridle
briller to shine
briser to break
broc *m.* pitcher
brocart *m.* brocade
broder to embroider
brosser to brush
bruit *m.* sound, noise
brûler to burn
brume *f.* mist
bure *f.* coarse material
but *m.* goal
buter to stumble

cabane *f.* hut
se cabrer to rear
cacher to hide
cachet *m.* seal, stamp
cachette *f.* hiding place; **en —** in secret
cachot *m.* dungeon
cadavre *m.* corpse
cadre *m.* frame
cagoule *f.* hood, cowl
caisse *f.* till
calfeutré lined
câlin caressing
calligraphier to practice penmanship
calvaire *m.* cavalry
camée *m.* cameo
campagne *f.* country
canaille vulgar
caoutchouc *m.* rubber
capitonné padded
capituler to surrender
caporal *m.* corporal
capter to recover

carapace *f.* shell
carillon *m.* chime
carrefour *m.* intersection
carrément without beating about the bush
carrosse *m.* coach
carte *f.* card
carton *m.* cardboard
casqué helmeted
casquette *f.* peaked cap
casser to break
cave *f.* cellar
ceinture *f.* belt
célèbre notorious, famous
cendres *f.* ashes
cercueil *m.* coffin
cerise *f.* cherry
cerner to surround
cesser to cease
chaise *f.* chair
chambellan *m.* chamberlain
chambre *f.* room, bedroom
champ *m.* field
chandail *m.* sweater
chant *m.* song
chape *f.* cope *(ecclesiastical vestment)*
chapeau *m.* hat; **— melon** bowler hat
chapelle ardente *f.* funeral chapel
charbon *m.* coal
charge *f.* trust
se charger de to attend to
chasser to drive out
chasuble *m.* sacerdotal dress
châtrer to castrate
chaud hot
chaussettes *f.* socks
chemin *m.* road
chemise *f.* shirt, slip
chêne *m.* oak tree
chercher to look for
chéri darling
chérir to hold dear
cheval *m.* horse; **— de labour** plough horse
chevaucher to ride
cheveu *m.* hair
chèvre *f.* goat
chienne *f.* bitch
chiffon *m.* rag
chiffre *m.* number
choisir to choose
choix *m.* choice; **sans —** indiscriminately
chut hush
ciel *m.* heaven
cierge *m.* candle
ciment *m.* cement
cintre *m.* arch
citron *m.* lemon
clair clear, light
clairière *f.* clearing
clairon *m.* clarion
claquement *m.* crack
claquer to crack, (*slang*) die; **— des doigts** to snap one's fingers
clé *f.* key
cliché *m.* exposure
clin d'œil *m.* wink
cliquetis *m.* clinking, jingling
clochard *m.* tramp
cloche *f.* bell
clocher *m.* bell tower
cloison *f.* partition
clos shut up
clouer to nail
code *m.* statute book
cœur *m.* heart
coffre *m.* chest
cogner to beat
coiffeuse *f.* dressing table
coin *m.* corner
coincer to jam
colère *f.* anger
collant skintight
coller to fit, glue
colombe *f.* dove
combat *m.* fight, struggle
combiné *m.* switchboard
combler to satisfy
comédien *m.* actor

commander to order
commettre to commit
commissure *f.* corner
commutateur *m.* switch; **éteindre le —** to turn off the switch
compacte dense
comparse *m.* confederate
complaisance *f.* self-satisfaction
comprendre to understand
comptabilité *f.* accounts
comptable *m.* accountant
compte *m.* account; **se rendre — de** to realize
compter to count
conciliant conciliatory
conduire to lead
confiance *f.* confidence
confier to entrust
confondre to confuse, merge
congestionné flushed, congested
connaître to know
conseiller to suggest
consigner to put off bounds
consterné appalled
contenir to contain
se contenter de to be satisfied with
contraindre to force
coq *m.* rooster
coquet coy
coquine *f.* hussy
corde *f.* rope
cordon *m.* string
corps *m.* body; **— de garde** guard room
corselet *m.* light breastplate
cortège *m.* procession
costume *m.* dress
côté *m.* side
cou *m.* neck
coucher to lay down
coudre to sew up
se couler to slip
coulisse *f.* wings (*of a theatre*)
couloir *m.* corridor
coup *m.* stroke, blow, knock; **tout à —** suddenly; **– d'œil** peek; **— d'envoi** kickoff
couper to cut
couperet *m.* blade, knife, cleaver
cour *f.* courtyard, court; **— d'assises** Assize Court
courant common; **au —** in the know
courbe *f.* curve
se courber to bow
courir to run
couronne *f.* crown, wreath
courroucer to anger
course *f.* running, race
coursier *m.* steed
court brief
couteau *m.* knife
coûter to cost; **— cher** to be expensive
couvrir to cover
crachat *m.* spit
cracher to spit
craindre to fear
crainte *f.* fear
crâner to boast
crasse *f.* squalor
cravache *f.* whip
cravacher to whip
cravate *f.* tie
crèche *f.* manger
crépitement *m.* crackling
crépuscule *m.* twilight
creuser to deepen, tunnel
crever to burst; (*vulgar*) to die
cri *m.* cry
crinière *f.* mane
croc *m.* fang
croire to think, believe
croix *f.* cross
cruauté *f.* cruelty
cuir *m.* leather
cuisine *f.* kitchen
cuisse *f.* thigh
cuit cooked
cuivres *m.* brass instruments
cul *m.* ass
culbuter to tumble

culotte *f.* breeches
curé *m.* priest
curer to pick one's nose
cygne *m.* swan

davantage more
débarrasser to rid
déblayer to remove, clear away
debout standing
déboutonner to unbutton
débraillé untidy
début *m.* beginning
décapiter to behead
décevoir to disappoint
déchausser to take off shoes
déchiffrer to figure out
déchirer to tear
décoller to take off
décombres *m. pl.* rubbish, debris
découvrir to discover
décret *m.* decree
décrire to describe
défaillant weak
défaire to rid
défait unmade
défalquer to deduct
défilé *m.* parade
défiler to march past
défunt defunct
dégager to disengage
déganter to take off gloves
dégrafer to unhook
dégringoler to tumble down, come clattering down; **se faire —** to be shot down
déguiser to disguise
dehors outside
délasser to relax
délivrer to save
déluré sharp, smart
démaillotter to remove diapers
demander to ask, require; **se —** to wonder
démarche *f.* approach, gait, step
dément *m.* madman
démesuré inordinate, huge
demeurer to remain
dénégation *f.* denial
dénicher to unearth
dénombrer to count
dénouer to untie, undo
dent *f.* tooth
denté spoked
dentelle *f.* lace
départager to divide
se dépêcher to hurry
dépeindre to depict
se déplacer to move about, move aside
déplaire to displease
déposséder to dispossess
dépouillé stripped
déprécier to belittle
dépuceler to deflower
déranger to disturb
dernier last, latter
se dérouler to unfold
déroute *f.* flight
descendre to come down
désespéré hopeless
désespoir *m.* despair
déshabillé *m.* negligee
déshabiller to undress
désinvolte free and easy, offhand
désobéissance *f.* disobedience
dessein *m.* design
dessiner to design, draw
dessous underneath
détacher to undo
détailler to inspect
se détourner to turn away
détraquer to put out of order
détruire to destroy
deuil *m.* mourning
devant in front of
devenir to become
deviner to sense
devinette *f.* riddle
dévisser to unscrew
dévoué devoted
diable *m.* devil
dieu *m.* god

digne worthy
diminuer to diminish
se diriger to move
discours *m.* speech
disparaître to disappear
disposer to arrange
dispositif *m.* apparatus
disposition *f.* disposal
dissimuler to hide
divaguer to rave
divan *m.* sofa
doigt *m.* finger
domicile *m.*; **à —** at home
dominateur, dominatrice dominating
dompter to tame
donnée *f.* fact
donner to give; **— sur** to open onto
doré gilded
dorénavant from now on
dorloter to fondle
dormir to sleep
dorure *f.* gilding
dos *m.* back
dossier *m.* file, record
doucement gently, slowly
douceur *f.* sweetness, mildness
doué gifted
douleur *f.* pain
douloureux painful
se douter de to suspect
doux soft
drap *m.* sheet
drapeau *m.* flag
dresser to raise, erect
droit *m.* right
droite right
drôle funny
dur hard

eau *f.* water
écarteler to quarter
écarter to ward off, move aside
échanger to exchange
s'échapper to escape
écharpe *f.* scarf
s'échauffer to become angry
échelon *m.* rung; **monter les —s** to rise by steps
éclabousser to splatter
éclair *m.* flash; **en un —** instantly
éclairer to shed light on
éclat *m.* burst, flash, brilliance; **en —s** in fragments
éclatant dazzling
éclater to break out, burst out
écluse *f.* canal lock
s'écouler to disintegrate
écouter to listen
écouteur *m.* earphone
écraser to crush
écumer to foam
effectif actual
s'efforcer to make an effort
effrayer to frighten
égard *m.* admiration; **à l'— de** having regard to
égaré lost
église *f.* church
égorger to slaughter
égout *m.* sewer, drain
égratigner to scratch
élaborer to develop
s'élancer to leap, spring forward
élargir to enlarge
élever to raise
éloge *m.* eulogy
s'éloigner to turn away from
embarrasser to encumber
embaucher to engage
embaumer to embalm
embellir to beautify
emblée: d'— directly
s'emboîter to dovetail
embrasser to kiss
emmailloter to swaddle
emmener to take away
s'emparer to take hold of, seize
empêcher to prevent, forbid; **n'empêche que** nonetheless
emperruqué bewigged
empêtrer to entangle
empiler to stack up

emplir to fill
empoisonner to poison
emporter to take away; **s'—** to become carried away
enchaîner to enchain, continue
s'enchâsser to enshrine
enclume *f.* anvil
encore again; **pas —** not yet
s'endormir to fall asleep
endosser to assume
endroit *m.* place
enfer *m.* hell
enfermer to shut up, lock up
enfiler to slip on
enflé swollen
enfoncer to thrust in, push in
s'enfuir to flee
engin *m.* gadget
s'enhardir to become bold
enlacer to hug
enlever to take off, take away
s'enliser to sink down
ennui *m.* boredom
ennuyer to bore
enregistrer to note down
enrouler to roll up
enseigner to teach
ensevelir to enshroud
s'entasser to pile up, accumulate
entendre to understand, hear
enterrer to bury
entier entire
entraîner to urge on, drag out
entre-baîllement *m.* opening
entre-bailler to half-open
entremise *f.* intervention
entretenir to keep up
énumérer to list
envelopper to wrap up
envers: à l'— backwards
envie *f.* desire
envier to envy
s'envoler to fly off
envoyé *m.* envoy
envoyer to send
épais thick
épars thin, disheveled
épaule *f.* shoulder
épée *f.* sword
éperon *m.* spur
épingle *f.* pin
éponger to wipe off
époque *f.* period
épouse *f.* wife
épousseter to dust off
épouvantail *m.* scarecrow
éprouver to feel
épuiser to wear out
équivoque *f.* ambiguity
escabeau *m.* stool
escalier *m.* stairway
esclave *m.* slave
espagnol Spanish
espèce *f.* sort
espérer to hope
espion *m.* spy
espoir *m.* hope
esprit *m.* nature, mind
esquisser to outline
essayer to try
essuyer to wipe
étang *m.* pond
état *m.* state
éteindre to extinguish
étendard *m.* standard, flag
étoffe *f.* material
étoile *f.* star
étole *f.* stole
étonner to astonish
étouffer to smother, choke
étrange strange
étrangler to strangle
étriller to curry (comb)
étui *m.* case
s'évader to escape
s'évanouir to faint
éveiller to wake up
éventrer disembowel
évêque *m.* bishop
excédé out of patience
exiger to demand, require
expédier to send

exposé vulnerable
extirper to extract

fabriquer to make
face *f.* face; **de —** full face; **en — de** opposite
fâcher to anger
facile easy
façon *f.* means, way
faible weak
faim *f.* hunger
faire to do, make
fait *m.* fact
fanion *m.* battalion flag
fardeau *m.* burden
farder to make up
farouche wild, savage, fierce
fastueux sumptuous
fatuité *f.* self-complacency
faubourg *m.* suburb
faucher to mow down
faute *f.* mistake, fault; **— de** lacking
fauteuil *m.* armchair; **— d'orchestre** orchestra seat
faux false
féconder to make pregnant
feindre to pretend
féliciter to congratulate
fenêtre *f.* window
fer *m.* iron
ferme firm
fermer to close
fermier *m.* farmer
ferrer to shoe (*a horse*)
fesser to spank
fête *f.* feast, celebration
feu *m.* fire
feuille *f.* leaf
feutre *m.* felt hat
fiche *f.* card
se ficher de not to give a damn about
fier proud
se figer to become set
figure *f.* face
figurer to represent
filer to slip
fille *f.* daughter, slut
filtrer to filter through
finir to finish
fixer to attach, stare at
fixité *f.* immobility
flamber to go up in flames
flamboyer to blaze
flancher to give in, flinch
flatter to stroke
fléchette *f.* dart
fléchir to sag
fleur *f.* flower; **— d'oranger** orange blossom
fleuve *m.* river
flocon *m.* flake
foin *m.* hay
fois *f.* time
folie *f.* madness
folle *f.* mad woman
foncer to rush upon, charge
fonction *f.* function
fond *m.* bottom; **au —** in the back
forcer to break into
fossette *f.* dimple
fou mad
fouet *m.* whip
fouetter to flog
fouiller to search
foule *f.* crowd, rabble
fourrure *f.* fur
fournisseur *m.* supplier
se foutre de not to give a damn about
franchir to cross
frange *f.* fringe
frapper to strike, knock
fripes *f.* shabby clothes
frissonner to shiver, tremble
froid *m.* cold
front *m.* forehead
fuite *f.* flight
fumée *f.* smoke
funèbre funeral
funérailles *f.* funeral
fuser to spread
fusillade *f.* shooting

gagner to win, overcome; **— vos postes** to take your positions
gant *m.* glove
garce *f.* slut
garde-à-vous: au — at attention
garder to keep; **— de** to protect from
gardien, gardienne keeper
gâter to spoil
gauche left
gavé stuffed
géant *m.* giant
gel *m.* frost
gémir to groan
gémissement *m.* groan
gênant awkward
gencives *f.* gums
gendarme *m.* policeman
gêner to embarrass, bother
génie *m.* talent
genou *m.* knee; **à —x** on one's knees
genre *m.* style, type
geste *m.* gesture
gifler to slap
glace *f.* glass, mirror
glacé glossy
glaçon *m.* ice cube
glisser to slip
gloire *f.* glory
gonfler to swell, exaggerate
gorge *f.* throat, breast
gorger to stuff
gosse *m.* kid, child
gouailleur bantering
goujaterie *f.* caddishness
gourmand greedy
gourmandise *f.* greediness
goût *m.* taste
goutte *f.* drop
grâce à thanks to
grade *m.* rank
grandeur *f.* size, grandeur
grandir to grow
gras fat
grave serious
graver to engrave
gré *m.* liking
grêle *f.* hail
grille *f.* iron gate
grimer to make up
grimper to climb
gris gray
grog *m.* toddy
gros big
grossier crude
guérite *f.* sentry box, shelter, cabin
guerre *f.* war
guetter to lie in wait for
gueule *f.* mouth (*of animals*); (*vulgar*) human mouth *or* face
gueuse *f.* beggar, tramp
guidon *m.* handlebar
guipure *f.* point lace, pillow lace

habile skilful
habiller to dress
habit m. dress; **— de cérémonie** dress suit
habiter to inhabit
habitude *f.* habit; **comme d'—** as usual
s'habituer to become used to
hache *f.* axe
haine *f.* hatred
haïr to hate
haletant panting
hampe *f.* staff, pole
hanter to haunt
harnacher to harness
harnais *m.* harness
hausser les épaules to shrug one's shoulders
haut high, highly placed
hécatombe *f.* great slaughter
hein what?
hennir to whinny
hennissement *m.* whinny
hérault *m.* herald
herbe *f.* grass
hésiter to hesitate
heure *f.* hour, time
heureux happy

hibou *m.* owl
hirsute shaggy
historique *m.* historical account
hocher to nod
honnête decent
hors beyond
hostie *f.* host, wafer
housse *f.* furniture cover
huile *f.* oil
humeur *m.* body fluid
hurler to yell

idiot stupid
illuminer to light up
s'impatienter to become impatient
impitoyable pitiless
implorer to beseech
impropre unfit
inattendu unexpected
incendie *m.* fire
incendié burning
s'incliner to bow
inconsidéré careless
indigne unworthy
infirmière *f.* nurse
inonder to flood
inquiet worried
inquiéter to disturb, worry
interdire to prohibit
interdit disconcerted
interloqué disconcerted
interposer to intervene
interrompre to interrupt
intervenir to step in front of
investir to beleaguer

jaillir to spring forth
jaloux jealous
jambe *f.* leg
jardin *m.* garden
jarret *m.* hock (*of a horse*)
jaune yellow
jet *m.* throw; **— d'eau** fountain
jeter to throw
jeu *m.* game
jeune young
jouer to play, act
jouet *m.* toy
jouissance *f.* rapture
joyau *m.* jewel
judas *m.* peephole
jument *f.* mare
jupe *f.* skirt
jupon *m.* petticoat
jusque until, to
juste: au — exactly
justement exactly
justicier *m.* magistrate

képi *m.* military cap

lac *m.* lake
lacer to lace up
lacérer to tear
lacet *m.* shoelace
lâche cowardly
lâcher to release, let go of
laisser to leave
lambeau *m.* rag, shred of cloth
lampion *m.* Chinese lantern
langue *f.* tongue
lapin *m.* rabbit
larme *f.* tear
las tired
lécher to lick
lecture *f.* reading
léger light
légèrement slightly
lentement slowly
lenteur *f.* slowness
lever *m.* rising
lèvre *f.* lip
libre free
licorne *f.* unicorn
lien *m.* bond, tie
lier to tie up
lieu *m.* place
linceul *m.* shroud
linge *m.* cloth
lire to read
lit *m.* bed
livre *m.* book

livrer to deliver
loi *f.* law
loin far; **au —** in the distance; **de —** from a distance
lointain distant, far off
longer to hug to the side of, go along
lorsque when
louange *f.* praise
louer to rent
lourd heavy
lucarne *f.* small window
lumière *f.* light
lune *f.* moon
lunettes *f. pl.* spectacles
lustre *m.* chandelier
lutter to fight
lutteur *m.* wrestler
luzerne *f.* field of purple medic (*an herb*)

magistral masterly
maigre thin
maillet *m.* mallet
main *f.* hand
maître *m.* master
maîtresse *f.* mistress
mal badly
mal *m.* evil, trouble
malheur *m.* misfortune, accident
malheureux unfortunate
malmener to mistreat
manche *f.* sleeve
manette *f.* switch
manière *f.* manner; **de toute —** in any case
manquer to miss
mansuétude *f.* goodness
manteau *m.* coat
maquette *f.* mock-up, model
maquiller to make up
marbre *m.* marble
marché *m.* market
marchepied *m.* running board
marcher to walk, work, agree to
mare *f.* pool, pond
marguerite *f.* daisy
marteau *m.* hammer
martinet *m.* strap
massif *m.* mountain mass
matelot *m.* sailor
mater to put down
matin *m.* morning
maudire to curse
mauvais bad
méchant bad
méconnaissable unrecognizable
médaille *f.* medal
se méfier to be suspicious
mêler to involve
même even, same; **tout de —** after all
menacer to threaten
ménager to arrange, make possible
ménagère *f.* housewife
mendiant *m.* beggar
mener to lead
mentir to lie
mère *f.* mother
messe *f.* Mass
métier *m.* trade
mettre to put; **se — à** to begin; **— au point** to work out
meuble *m.* furniture
midi *m.* noon
mielleux bland
miette *f.* fragment
milice *f.* militia
milieu *m.* center; **au —** in the middle
mineur minor
minutieusement scrupulously
miroir *m.* mirror
mise au point *f.* realisation
misère *f.* suffering, poverty
mitraillade *f.* burst of machine-gun fire
mitraillette *f.* submachine gun
mitrailleuse *f.* machine gun
mitré mitred
moignon *m.* stump
moiré of watered silk
moitié *f.* half

mollesse *f.* laxity, softness
molletonné lined, padded
monde *m.* world; **tout le —** everybody
monseigneur *m.* lord
mont *m.* mountain
montagne *f.* mountain
monter to climb
montre *f.* watch; **—-bracelet** wristwatch
montrer to show
se moquer de to make fun of
moquette *f.* wall-to-wall carpet
mordre to bite
morne gloomy
mors *m.* bit
mort *f.* death
mot *m.* word
mouchoir *m.* handkerchief
mouillé damp
mourir to die
munir to equip
mur *m.* wall
muraille *f.* wall
musclé muscular

naissance *f.* birth
naître to be born
narine *f.* nostril
naufrage *m.* shipwreck
neiger to snow
nerf *m.* nerve
net clear, clean
nez *m.* nose
nid *m.* nest
nier to deny
noblesse *f.* nobility
noces *f.* nuptials
nommer to name
nouer to tie
noueux knotty
nourrice *f.* nurse
nourriture *f.* food
nouveau new
nouvelles *f. pl.* news
noyau *m.* kernel
noyé *m.* drowned body
noyer to drown
nu naked, bare
nuit *f.* night; **en pleine —** in the middle of the night
nuque *f.* nape

objectif *m.* lens
obliger to force
obus *m.* (artillery) shell
s'occuper to keep oneself busy
œil *m.* eye
office *f.* pantry
offrir to offer
ombre *f.* shadow
onction *f.* unctuousness
opérer to work
oppressé breathless
or *m.* gold
ordonner to order, arrange
oreille *f.* ear
orgueil *m.* pride
oriflamme *f.* banner
oripeau *m.* tawdry finery
orné decorated
oser to dare
ostensiblement conspicuously
oublier to forget
ouragan *m.* hurricane
oursin *m.* sea urchin
outre in addition to
outré outraged
ouvrage *m.* work
ouvrier *m.* worker
ouvrir to open

paille *f.* straw
pain *m.* bread
paix *f.* peace
palais *m.* palace
pâleur *f.* pallor
pâmer to faint, swoon
pan *m.* flap
panneau *m.* panel
pansement *m.* bandage
pantalon *m.* trousers

pantin *m.* puppet
papier *m.* paper
paquet *m.* packet
paraître to appear
paravent *m.* screen
pareil of that sort
parer to decorate
parfait perfect
parfum *m.* perfume
parler to speak
paroi *f.* partition wall
parole *f.* word; **adresser la — à** to speak to
part *f.* share; **d'une —** on the one hand; **d'autre —** on the other hand
partager to share, divide
parti *m.* position; **en prendre son —** to reconcile oneself to
partir to go out, leave
partout everywhere
parure *f.* ornament
pas *m.* step; **au —** at a walk
passer to spend, pass, cross, occur, put on; **se —** to happen
patin *m.* runner; **haut —** stilt
patrie *f.* fatherland
patron, patronne boss
paume *f.* palm
paupière *f.* eyelid
pauvre poor
pavot *m.* poppy
pays *m.* country
paysan, paysanne peasant, country boy *or* girl
peau *f.* skin
péché *m.* sin; **— capital** mortal sin
peigner to comb
peignoir *m.* dressing gown
peine *f.* sorrow; **à —** hardly, barely
peinture *f.* paint
pelisse *f.* fur-lined cloak
penchant *m.* fondness
pencher to lean over
penderie *f.* closet
pendre to hang
péniblement painfully
percer to pierce
percheron *m.* draft horse
perdre to lose, undo
perle *f.* pearl
perler to form a bead
permettre to permit
perruque *f.* wig
persienne *f.* shutter
perte *f.* loss
pesée *f.* weighing
peser to weigh
peste *f.* plague
péter to emit, blow up
petit little
petit *m.* little one
pétrir to mold
pétulance *f.* liveliness
peuple *m.* people
peur *f.* fear; **faire —** to frighten
phrase *f.* sentence
piaffer to paw the ground
pièce *f.* room, play
pied *m.* foot; **reprendre —** to get a footing; **sur —** upright
pierre *f.* stone
pieux pious
pilier *m.* pillar
pintade *f.* guinea hen
piquet *m.* stake
pire worst
pitié *f.* pity
placard *m.* closet
place *f.* square; **— forte** fortress; **sur —** on the spot
plafond *m.* ceiling
plaie *f.* wound
plainte *f.* moaning
plaire to please
plaisanter to joke
plaisir *m.* pleasure
planche *f.* board, plank
planer to float
se planter to stand
plat flat
plateau *m.* tray; **— tournant** revolving stage

plâtre *m.* plaster
plein full
pleurer to cry
pleuvoir to rain
plier to bend, fold
plissé pleated
plomber to give a leaden hue to
plombier *m.* plumber
plonger to plunge, penetrate
pluie *f.* rain
plumeau *m.* feather duster
plusieurs several
plutôt rather
poche *f.* pocket
poignarder to stab
poignet *m.* wrist
poil *m.* hair (*of the body*)
poissonnerie *f.* fish market
poitrine *f.* chest
poliment politely
pomme *f.* apple; **— de pin** pinecone
pommier *m.* apple tree
pompier *m.* fireman
pont *m.* bridge
populace *f.* rabble
porte *f.* door; **mettre à la —** to throw out
porter to carry, wear
portière *f.* door
poser to place, put, put down
poudre *f.* gun powder
poudreux dusty
pouilleux *m.* the poor
poulailler *m.* chicken coop
pouliche *f.* filly
poupe *f.* stern
poupée *f.* doll
pourboire *m.* tip, gratuity
pourpre purple
pourrir to rot
poursuivre to continue, follow
pourvu de equipped with
pousser to grow, emit, push
poussière *f.* dust
pouvoir *m.* power
poux *m.* lice
pré *m.* meadow
précipitamment swiftly
préfet de police *m.* police chief
prendre to take; **se — le pied** to catch his foot; **— froid** to catch a cold
presque almost
se presser to hurry
prêt ready
prétendre to assert
prêter to lend
preuve *f.* proof
prévenir to warn
prévoir to foresee
prier to pray
prière *f.* prayer
prise *f.* taking
priver to deprive
prix *m.* price
prochain near
proche near
procureur *m.* attorney
propos: à ce — in this connection
propre own, clean
protéger to protect
public *m.* audience
puissance *f.* power
puissant powerful
puits *m.* well
putain *f.* whore
pylône *m.* power station

querelle *f.* quarrel; **chercher des —s** to pick a quarrel
queue *f.* tail
quiconque anybody
quitter to leave
quotidien everyday

racaille *f.* riffraff, rabble
raccompagner to escort
racheter to redeem
racler to clear
raconter to tell
raffinement *m.* refinement
raffiner to refine
rafler to pick up

rage *f.* fury
raide stiff
raideur *f.* stiffness
raison *f.* reason; **avoir —** to be right
râle *m.* rattle in the throat
rallonger to extend
ramener to bring back
rampe *f.* footlights
ramper to crawl
rang *m.* row
ranger to put away
râpeux rough
rappeler to recall; **— à l'ordre** to reprimand
rappliquer to come back
rapport *m.* report
rapprocher to bring together; **se —** to approach
raser to stick close to
rassurer to reassure
rattacher to clasp
rauque hoarse, raw, harsh
ravi delighted
se raviser to change one's mind
rayonner to beam
rebord *m.* edge, ledge
réchapper to escape
recharger to reload
recherche *f.* search
rechercher to search for, inquire into
réclamation *f.* complaint
réclamer to claim, ask
recommander to instruct
reconnaître to recognize
se recoucher to go back to bed
recouvrir to cover up
reculer to step backward, move back, retreat
reculons: à — backwards
redoutable formidable, fearsome
redouter to fear, dread
se redresser to get up
réduire to reduce
réfléchir to reflect
reflet *m.* reflection
regard *m.* gaze
réglementaire regulation
régler to put in order
regretter to miss
reine *f.* queen
rejoindre to reach
se réjouir to rejoice
relever to lift, raise; **se —** to get up
religieuse *f.* nun
remarquer to distinguish
remercier to thank
remettre to put back; **— en cause** to cast doubt on
remiser to store away
remonter to come back up
remords *m.* remorse
remplacer to replace
remplir to fulfill, fill up
remuer to move, shake up
rencontre *f.* meeting; **aller à la —** to go find
rendre to give back, render; **se — à** to go to
se rengorger to act proud
renifler to sniff out
renoncer to give up
renouveler to replace
renseigner to inform
rentrer to go home, come back, tuck in
renvoyer to reflect
repentir *m.* repentance
répercuter to reverberate
répéter to repeat
répit *m.* respite
repli *m.* fold
réplique *f.* rejoinder
répondre to answer; **— sans détours** to give a straightforward answer
reposer to put aside, rest, put back
repousser to thrust aside
reprendre to repeat, start again; **se —** to correct oneself
représentation *f.* performance
repu sated
réseau *m.* network
respirer to breath

resplendir to shine
reste: du — moreover
rester to remain
retard *m.* delay
retenir to remember, secure, hold; **se —** to keep oneself from
retirer to take off, take out, withdraw
retors crafty
retour *m.* return
retrait *m.*; **en —** back
retrousser to turn up; **— les manches** to roll up one's sleeves
réussir to succeed
réveil *m.* awakening
révéler to reveal
revenir to come back
rêver to dream
révérence *f.* curtsy, bow
revêtir to dress
rêveur dreamily
révolté *m.* revolutionary
ricaner to laugh derisively
rictus *m.* sneer
ride *f.* wrinkle
rideau *m.* curtain
rincer to rinse
rire to laugh
risquer to venture
robinet *m.* faucet
roc *m.* rock
rocher *m.* rock
roi *m.* king
rompre to break
ronfler to snore
ronger to gnaw
rose pink
roseraie *f.* rose garden
rosier *m.* rose bush
rôtir to roast
roue *f.* wheel
rouerie *f.* trickery
rouge red
rouillé rusty
rouler to roll
rouspéter to complain
rousse redheaded
royaume *m.* kingdom
rude rough
rue *f.* street
ruelle *f.* small, narrow street
ruer to kick

sable *m.* sand
sabot *m.* hoof
saccage *m.* sacking
saccager to sack, ransack
sacre *m.* coronation
sagesse *f.* wisdom
saigner to bleed
sain healthy
sainteté *f.* holiness, sainthood
saisir to seize
sale dirty
saluer to salute, greet
salut *m.* greetings
sang *m.* blood
saoul drunk
sauter to blow up, leap
sauver to save
savant artful
séance *f.* session
sec dry
sécher to dry
secours *m.* aid, help
seigle *m.* rye
sein *m.* breast
selon according to
semaine *f.* week
sembler to seem
sens *m.* sense, meaning
sensible sensitive, visible
sentir to feel
serein serene
serment *m.* oath
serrer to clutch, press; **— la main** to shake hands
serviette *f.* towel; **— éponge** turkish towel
servir to serve; **— à** to be useful for
siècle *m.* century
simulacre *m.* semblance, simulation
socle *m.* pedestal

soie *f.* silk
soif *f.* thirst
soigner to take care of
soir *m.* evening
soldat *m.* soldier
soleil *m.* sun
sombrer to founder
somme *f.* sum; **en —** in short
sommeil *m.* sleep
songer to dream, think
sonner to ring
sonnerie *f.* ringing
sornettes *f. pl.* nonsense
sort *m.* fate
sortir to take out, go out
sottise *f.* stupidity
soubrette *f.* maid
souci *m.* care
se soucier to concern oneself
souffle *m.* breath
souffrir to suffer
souhaiter to wish
soulagement *m.* relief
soulager to relieve
soulier *m.* shoe
se soumettre to give up
soumis humble
soupeser to weigh, feel the weight of
soupir *m.* sigh
soupirer to sigh
sourd dull, muted
sourire to smile
sous-ventrière *f.* saddlegirth
souterrain underground
se souvenir to remember
souvent often
souverain sovereign
spectacle *m.* show
squelette *m.* skeleton
stade *m.* stage
subtiliser to refine
suer to sweat
sueur *f.* sweat
suffire to be sufficient
suinter to ooze
suivre to follow
supplier to beg
support *m.* prop
supporter to tolerate, stand
supposer to assume
surmonter to overcome
surplis *m.* surplice
surprendre to catch
sursauter to be startled
surveiller to observe, watch over

tablier *m.* apron
tâcher to try
taille *f.* height
tailler to hew from, slash
tailleur *m.* tailored suit
taire to silence; **se —** to be silent, be quiet
talon *m.* heel; **— bottier** stack heel
tant as much
tapis *m.* rug
tard late
tas *m.* mound
tasse *f.* cup
se tasser to shrink
tâtonnement *m.* experiment
taudis *m.* hovel
témoin *m.* witness
temps *m.* time, moment; **de — à autre** from time to time; **entre —** in the meanwhile
tenancière *f.* owner
tendre to tend, stick out, hang
tenir to hold, consider, maintain; **— à** to want; **— bon** to hold one's ground; **— le coup** to hold out
tenter to try
tenue *f.* dress
terrassement *m.* banking, digging (*of earth*)
terrassier *m.* ditch digger, navvy (*British*)
terre *f.* earth; **par —** on the floor
tête *f.* head
thé *m.* tea
tiède warm

timbre *m.* stamp, quality in tone of voice *or* instrument
tirade *f.* speech
tirer to draw, pull, shoot
tiroir *m.* drawer
tisser to weave
tissu *m.* fabric
toilette *f.* dress
tombeau *m.* tomb
tomber to fall, hang from
tonner to thunder
torpilleur *m.* destroyer
tort *f.* wrong; **avoir —** to be wrong
tortue *f.* turtle
tour *f.* tower
tour *m.* trick, turn
toutefois yet
trahir to betray
traîne *f.* train (*of a dress*)
traîner to haul, drag, lie around
trait *m.* feature
trapu stocky
travailler to work
traverser to cross, go through
trempé soaked, drenched
trépigner to prance
trésor *m.* treasure
tricher to cheat
tristesse *f.* sorrow
trompe-l'œil *m.* make-believe
tromper to deceive
trône *m.* throne
trop too much
trou *m.* hole
troué holey
trouille *f.* fear
troupe *f.* army
trouver to find; **se —** to be
truquage *m.* trickery
tuer to kill
tulle *m.* net fabric
tutoyer to address familiarly

urinoir *m.* urinal
user to wear out
usine *f.* factory
utile useful

vaillance *f.* valor
vaincre to overcome
vainqueur *m.* victor
vaisseau *m.* vessel
vaisselle *f.* dishes
valise *f.* suitcase
valoir to be worth
valser to waltz
vanter to boast
vaporisateur *m.* atomiser
veiller to watch over
vélo *m.* bicycle
velours *m.* velvet
vénérer to worship
vent *m.* wind
ventre *m.* stomach, belly; **à plat —** flat on his belly
vérité *f.* truth
verni polished
verre *m.* glass
verroterie *f.* beads
verrou *m.* bolt
verrouiller to lock up, bolt
vert green
vertu *f.* virtue
veste *f.* jacket
veston *m.* jacket
vêtement *m.* clothes
vêtir to dress
veuf, veuve widower, widow
veule flabby
viande *f.* flesh
victuailles *f. pl.* food
vide empty
vider to empty
vie *f.* life
vieillard *m.* old person
vieillir to become old
vierge *f.* virgin
vieux old
vieux *m.* old man
ville *f.* city
vin *m.* wine
visage *m.* face

viser to aim, watch
viseur *m.* viewfinder
vite quickly
vitre *f.* windowpane
vivat *m.* cheer
vivre to live
voguer to sail
voie *f.* way
voile *m.* veil
voilette *f.* (hat) veil
voiture *f.* car
voix *f.* voice
voler to fly, steal
volet *m.* shutter
voleur, voleuse thief; **— à la tire** pickpocket
voltiger to flutter
vouloir to wish; **en — à** to hold a grudge against
voûte *f.* vault
vrai true, real

yeux *m. pl.* eyes

zébrer to lash
zébrure *f.* stripes